NEW 서울대 선정 인문고전 60선

25

막스 베버 **프로테스탄트 윤리와 자본주의 정신**

NEW 서울대 선정 인문 고전 ㉕

만화 막스 베버 **프로테스탄트 윤리와 자본주의 정신**

개정 1판 1쇄 발행 | 2019. 8. 21
개정 1판 2쇄 발행 | 2021. 9. 27

윤원근 글 | 김혜은 그림 | 손영운 기획

발행처 김영사 | 발행인 고세규
등록번호 제 406-2003-036호 | 등록일자 1979. 5. 17.
주소 경기도 파주시 문발로 197 (우10881)
전화 마케팅부 031-955-3100 | 편집부 031-955-3113~20 | 팩스 031-955-3111

값은 표지에 있습니다.
ISBN 978-89-349-9450-3
ISBN 978-89-349-9425-1(세트)

좋은 독자가 좋은 책을 만듭니다. 김영사는 독자 여러분의 의견에 항상 귀 기울이고 있습니다.
전자우편 book@gimmyoung.com | 홈페이지 www.gimmyoungjr.com

이 도서의 국립중앙도서관 출판예정도서목록(CIP)은 서지정보유통지원시스템 홈페이지(http://seoji.nl.go.kr)와
국가자료종합목록시스템(http://www.nl.go.kr/kolisnet)에서 이용하실 수 있습니다. (CIP제어번호 : CIP2018042945)

어린이제품 안전특별법에 의한 표시사항

제품명 도서 제조년월일 2021년 9월 27일 제조사명 김영사 주소 10881 경기도 파주시 문발로 197
전화번호 031-955-3100 제조국명 대한민국 ⚠주의 책 모서리에 찍히거나 책장에 베이지 않게 조심하세요.

미래의 글로벌 리더들이 꼭 읽어야 할 인문고전을 만화로 만나다

NEW 서울대 선정 인문고전 60선

25

막스 베버 프로테스탄트 윤리와 자본주의 정신

윤원근 글 · 김혜은 그림

주니어김영사

〈NEW 서울대 선정 인문고전60〉이 국민 만화책이 되기를 바라며

제가 대여섯 살 때 동네 골목 어귀에 어린이들에게 만화책을 빌려주는 좌판 만화 대여소가 있었습니다. 땅바닥에 두터운 검정 비닐을 깔고 그 위에 아이들이 좋아하는 만화책을 늘어놓았는데, 1원을 내면 낡은 만화책 한 권을 빌릴 수 있었지요. 저는 그곳에서 만화책을 보면서 한글을 깨쳤고 책과의 인연을 맺었습니다.

초등학교 때는 용돈을 아껴서 책을 사서 읽었고, 중학교 때는 학교 도서 반장을 맡아 도서관에서 매일 밤 10시까지 있으면서 참 많은 책을 읽었습니다. 그 무렵 헤밍웨이의 《노인과 바다》를 손에 땀을 쥐며 읽으면서 인생에 대해 고민했고, 헤르만 헤세의 《수레바퀴 아래서》를 읽으며 사춘기의 심란한 마음을 달랬습니다. 김래성의 《청춘 극장》을 밤새워 읽는 바람에 다음 날 치르는 중간고사를 망치기도 했습니다.

당시 저의 꿈은 아주 큰 도서관을 운영하는 사람이 되어 온종일 책을 보면서 책을 쓰는 작가가 되는 것이었습니다. 나이가 들고 어느 정도 바라는 꿈을 이루었습니다. 큰 도서관은 아니지만 적당한 크기의 서점을 운영하고, 글을 쓰는 작가가 되었거든요. 저는 여기에 새로운 꿈을 하나 더 보탰습니다. 그것은 즐거운 마음과 힘찬 꿈을 가지게 해 주고, 나아가 자기 성찰을 도와주는 좋은 만화책을 만드는 일이었습니다. 이렇게 해서 만든 책이 바로 〈서울대 선정 인문고전〉입니다. 서울대학교 교수님들이 신입생과 청소년들이 꼭 읽어야 할 책으로 추천한 도서들 중에서 따로 60권을 골라 만화로 만든 것입니다. 인류 지성사의 금자탑이라고 할 수 있는 고전을 보기 편하고 이해하기 쉽도록 만화책으로 만드는 일은 쉬운 일은 아니었습니다. 약 4년 동안에 수십 명의 학교 선생님들과 전공 학자들이 원서의 내용을 정확하게 전달할 수 있도록 밑글을 쓰고, 수십 명의 만화가들이 고민에 고민을 거듭하면서 만화를 그려 60권의 책을 만들었습니다.

〈서울대 선정 인문고전〉이 완간되었을 무렵에 우리나라에 인문학 읽기 열풍이 불기 시작했습니다. 〈서울대 선정 인문고전〉은 인문학 열풍을 널리 퍼뜨리는 데 한몫을 하면서 독자들의 뜨거운 사랑과 관심을 받았습니다. 덕분에 지금까지 수백만 권이 팔리는 베스트셀러가 되었습니다. 그 사랑에 조금이나마 보답을 하기 위해 《칸트의 실천이성 비판》, 《미셸 푸코의 지식의 고고학》, 《이이의 성학집요》 등 우리가 꼭 읽어야 할 동서양의 고전 10권을 추가하여 만화로 만들었습니다.

〈서울대 선정 인문고전〉은 어린이와 청소년이 부모님과 함께 봐도 좋을 만화책입니다. 국민 배우, 국민 가수가 있듯이 〈서울대 선정 인문고전〉이 '국민 만화책'이 되길 큰마음으로 바랍니다.

손영운

| 글작가 머리말 |

자본주의의 작동 방식과 그 정신적 뿌리를 보여주는 책!

우리가 몸담고 있는 자본주의의 정체에 대해 알고 싶다면 이 책을 한번 읽어 보세요. 이 책은 자본주의가 어떻게 형성되고 움직이는지를 설명하면서 그 '정신적 뿌리'를 보여주고 있습니다.

마르크스라는 이름을 한번쯤은 들어보았을 거예요. 마르크스는 바로 공산주의 사상을 널리 퍼뜨린 인물로, 베버가 《프로테스탄트 윤리와 자본주의 정신》을 쓴 이유는 이 마르크스가 제시한 자본주의에 대한 설명의 문제점을 비판하고 보완할 필요를 느꼈기 때문입니다. 마르크스는 '자본가에 의한 노동자의 착취'를 자본주의의 본질적 특징이라 주장했습니다. 그러나 베버는 이 책에서 '노동의 합리적 조직'이 자본주의의 본질적인 특징이라고 주장합니다. 이 말의 의미는 다음과 같습니다.

첫째, 일(노동)하는 것은 그 자체로 가치가 있는 것이다.
둘째, 정직하고 근면한 노동을 통해 돈을 버는 것이 인생의 최고 목표이다.
셋째, 감정의 동요에 따라 시간을 허비하는 것을 경계하고 1분 1초까지도 이성으로 잘 계획해서 반드시 그 계획대로 실천하는 생활을 한다.
넷째, 노동을 통해 돈을 더욱 많이 벌기 위해 쾌락, 행복, 즐거움 등을 포기하고 쓸데없는 휴식과 게으름을 물리친다.

다섯째, 돈을 모으기 위해 절약하고 검소하게 생활한다.

베버는 자본가든 노동자든 이런 정신과 생활방식으로 살아가는 것이 바로 자본주의이고, 이런 정신과 생활방식으로 살아가는 사람이 많을수록 자본주의가 더 잘 운영된다고 말합니다.

우리는 흔히 '자본주의=돈이 최고' 라는 생각을 합니다. 하지만 무조건 돈에 대한 충동을 목적으로 한다고 해서 자본주의가 잘 작동되는 것은 아닙니다. 그렇게 되면 부도덕하고 무원칙적인 자본주의가 되고 맙니다. 이런 식으로 뒤틀려 나타나는 자본주의가 바로 '천민자본주의' 인데, 그동안 한국 사회는 자본주의를 받아들여 성공적으로 국가 발전을 이루었지만 여전히 천민적인 행태가 많이 남아 있다고 학자들은 지적합니다. 이제 '모로 가도 서울만 가면 된다.' 는 생각으로는 우리나라가 더 이상 발전할 수 없습니다.

이 책을 읽으면 왜 서양이 동양보다 경제적으로 더 발전하게 되었는지 그 이유도 알 수 있습니다. 지금 세계는 미국의 금융 위기에서 시작된 경제 위기로 큰 어려움에 처해 있습니다. 우리나라도 어려움을 겪고 있지요. 이 책을 읽으면서 우리나라와 세계의 경제 위기를 극복할 방법에 대해 나름대로 고민해 보는 건 어떨까요?

그리고 내용을 최대한 쉽고 재미있게 표현하기 위해 본문의 내용을 제가 임의로 각색하고 덧붙인 부분도 있다는 말씀을 드립니다. 끝으로 만화가 님과 이 책을 위해 수고한 주니어김영사의 모든 분들 그리고 교정을 도와준 아내에게 감사를 드립니다. 이 책을 읽는 분들에게 행운이 가득하기를!

윤원근

| 그림 작가 머리말 |

우리 사회를 새로운 시각과 관점으로 보는 소중한 기회

여러분은 자신이 자본주의에 희생된다고 생각해본 적 없나요? 어렸을 때 저는 이 자본주의 사회에서 살아남으려면 돈이 으뜸이라고 생각했습니다. 돈을 벌기 위해 공부하고 돈을 벌기 위해 좋은 학력을 가져야 하고…… 돈이 없으면 할 수 있는 게 아무것도 없는 것 같았어요. 보고 싶은 것도, 하고 싶은 것도 돈이 있어야 할 수 있으니까요.

지금 생각해보면 자본주의에 대해 잘 알지 못했던 것 같습니다. 마치 '장님과 코끼리 이야기' 속의 장님들 같이요. 장님과 코끼리 이야기 속의 장님들은 코끼리의 특정 부위에 대해 설명하는데, 그 특징이 말하는 사람마다 달라서 설명을 듣는 장님 마을 사람들은 코끼리의 모습을 알 수 없었다고 해요.

《프로테스탄트 윤리와 자본주의 정신》을 쓴 베버는 자본주의를 종교적 시각으로 접근해 책을 썼습니다. 자본주의를 돈이란 편협한 시각으로 보고 있던 저에겐 정말 새로운 해석이었습니다. 사람들이 흔히 말하는 '다양한 측면'이라는 것이 새로울 것도 없는데, '사회'란 괴물이 너무 커서 미처 생각지도 못했던 걸 발견한 것 같아요.

이 책의 그림을 그리면서 정말 많은 것을 배우게 되었습니다. 제가 이해한 베버의 프로테스탄트 윤리를 독자에게 어떻게 전달하는지부터 시작해 사회를 보는 시각까지, 힘들고 고생스럽게 느껴지기도 했지만 일하며 배우는 게 즐거워서 재미있게 그렸습니다. 이 책을 읽는 여러분들도 저와 같은 기분을 느끼셨으면 합니다.

김혜은

| 차 례 |

《프로테스탄트 윤리와 자본주의 정신》 깊이 읽기

제1장
《프로테스탄트 윤리와 자본주의 정신》은 어떤 책일까?
프로테스탄트 윤리와 자본주의 정신
우와악! 제목부터 머리 아파!
이거 왜 읽어야 해요?
왜냐고?
빼꼼
그건 이 책이 무지무지 유명하고
프로테스탄트 윤리와 자본주의 정신
너무너무너무 중요하기 때문이란다!
그렇다면 왜 중요할까?
음.
그건 이 책이 자본주의의 정신적 뿌리와
작동방법을 밝히고 있기 때문이란다.
둥
둥

무슨 말이냐 하면 너희들, 컴퓨터
다뤄 본 적 있지?
컴퓨터를 켜려면
어떻게 해야 해?
컴퓨터 전원을
눌러요.
그렇지!
바로 그거야!
컴퓨터를 잘 다루려면
작동방법을 잘 익혀야 해.
삐요 삐요
작동방법도 모르면서
컴퓨터가 잘 되지 않는다고 화를 내면,
컴퓨터가 망가질 뿐이야.
자본주의도 마찬가지야.
자본
주의
자본주의를 받아들인 많은 나라들이 자본주의 사회의
운영방법을 몰라 실패했지.
아하~ 머리 빗는 데
쓰는 거군!
그러면서 자본주의에 화풀이를 해.
안타까운 모습이지.
자본주의 사회를 운영하는 것은
밀가루 반죽을 주무르는 것과는 달라.
철퍽
철퍽
휙
작동방법을 이해하고
그 방법대로 운영해야 하지.

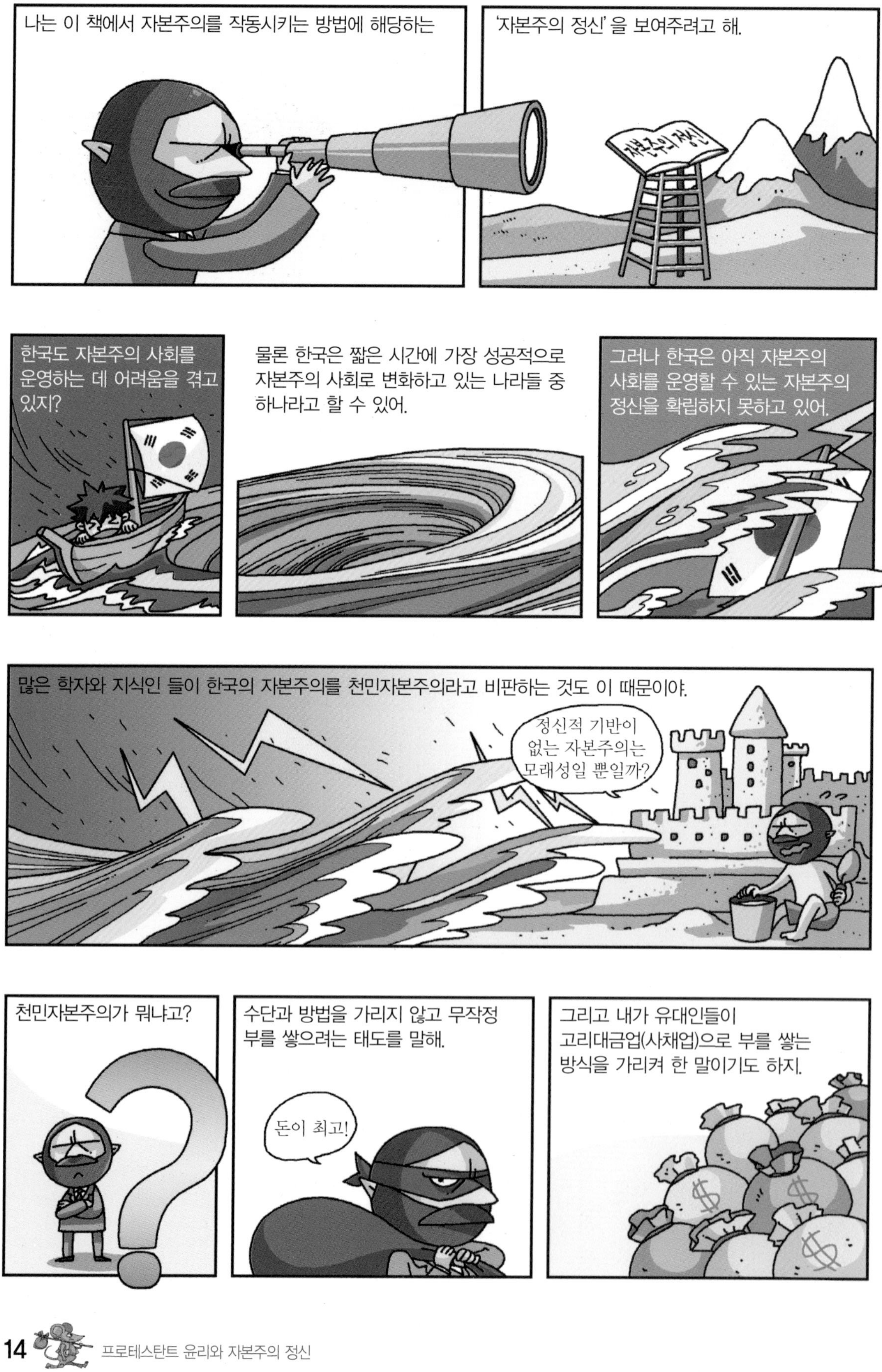
나는 이 책에서 자본주의를 작동시키는 방법에 해당하는
'자본주의 정신'을 보여주려고 해.
자본주의 정신
한국도 자본주의 사회를 운영하는 데 어려움을 겪고 있지?
물론 한국은 짧은 시간에 가장 성공적으로 자본주의 사회로 변화하고 있는 나라들 중 하나라고 할 수 있어.
그러나 한국은 아직 자본주의 사회를 운영할 수 있는 자본주의 정신을 확립하지 못하고 있어.
많은 학자와 지식인 들이 한국의 자본주의를 천민자본주의라고 비판하는 것도 이 때문이야.
정신적 기반이 없는 자본주의는 모래성일 뿐일까?
천민자본주의가 뭐냐고?
수단과 방법을 가리지 않고 무작정 부를 쌓으려는 태도를 말해.
돈이 최고!
그리고 내가 유대인들이 고리대금업(사채업)으로 부를 쌓는 방식을 가리켜 한 말이기도 하지.

자본주의란 돈이 최고인 거라고 생각하기 쉽지.
그렇지 않단다.
물론 자본주의는 궁극적으로 돈을 뜻해.
capitalism의 어원은 capital(자본)인데 이것은 머리라는 뜻의 caput에서 나온 거야.
머리
자본
자본주의
돈
돈
돈!!!
널 사랑해~.
하지만 자본주의는 단순히 돈을 최고로 여기는 것이 아니라 돈을 생산적인 방식으로 사용하는 것을 가장 소중히 여기는 것을 말해.
돈이면 다 된다고 생각했는데.
이 책을 읽고 나면 깨닫게 될 거야.
아하~ 자본주의는 이렇게 작동하는구나!
오~!
난 이렇게 저렇게 살아야겠다!
그래서 내가 이 책을
필
필
필독서라고 하는 거란다!
이 책을 읽고 한국사회를 천민자본주의에서 좋은 자본주의로 만드는 것이 너희들이 할 일이야.
이 막스 베버가 쉽고 재미있게 알려주지.
결코 내 책이라서 이러는 게 아니야. 음음.

마르크스*를 아니?
마스크?
난 마르크스야.
자본주의를 널리 퍼뜨리는 데 기여한 사람이야.
독일사람으로 나보다 50년 정도 먼저 태어났어.
할아버지 마르크스
아기 베버

*마르크스 Karl Marx 1818~1883 – 독일의 경제학자, 정치학자, 철학자.

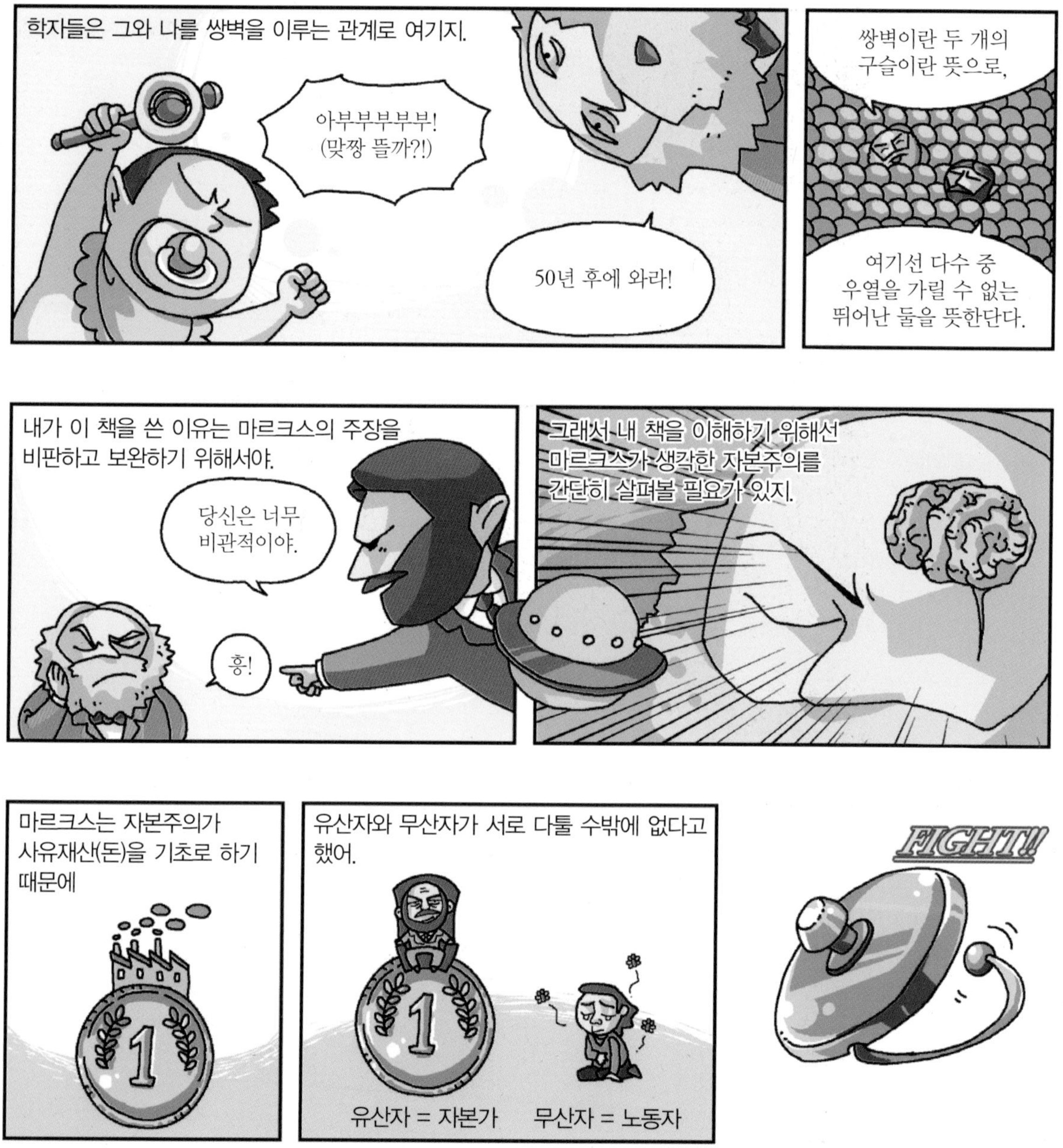
학자들은 그와 나를 쌍벽을 이루는 관계로 여기지.
아부부부부부!
(맞짱 뜰까?!)
50년 후에 와라!
쌍벽이란 두 개의 구슬이란 뜻으로,
여기선 다수 중 우열을 가릴 수 없는 뛰어난 둘을 뜻한단다.
내가 이 책을 쓴 이유는 마르크스의 주장을 비판하고 보완하기 위해서야.
당신은 너무 비관적이야.
흥!
그래서 내 책을 이해하기 위해선 마르크스가 생각한 자본주의를 간단히 살펴볼 필요가 있지.
마르크스는 자본주의가 사유재산(돈)을 기초로 하기 때문에
유산자와 무산자가 서로 다툴 수밖에 없다고 했어.
유산자 = 자본가
무산자 = 노동자
FIGHT!!

사유재산 제도는 개인이 자기 재산을 마음대로 사용하는 것을 말해.

유산자는 돈이 많은 사람으로 '부르주아'라 부르고
1

무산자는 돈이 없는 사람으로 '프롤레타리아'라고 불러.

유산자는 재산을 불리기 위해 돈을 투자해 생산수단을 마련해. 생산수단은 공장, 기계설비, 원료 등과 같이 상품을 만들어내는 데 필요한 수단을 말해.
나무를 베기 위해 도끼가 필요한 거랑 같은 이치지.

이처럼 생산수단을 마련하는 데 투자한 돈을 자본이라 불러. 그래서 유산자를 자본가라고 하지.
10000

하지만 이런 생산수단만으로는 상품을 만들어낼 수가 없어. 생산수단을 이용해 상품을 만들어내기 위해서는 일할 사람이 필요해.

무산자가 바로 이 역할을 하지.
그렇지!

그런데 여기에서 충돌이 생긴단다….

유산자들은 무산자들을 고용해 임금을 주고 노동을 시켜. 무산자는 가진 게 몸밖에 없어 먹고 살기 위해 임금을 받고 노동력을 팔지.
앞으로는 유산자와 부르주아를 자본가로,
무산자와 프롤레타리아를 노동자로 부를 거야.
때문에 무산자를 노동자라고도 불러.
그런데 자본가는 돈을 적게 주려 하고 노동자는 돈을 많이 받으려고 해.
더 줘….
싫어!
너 아니면 사람이 없는 줄 알아?
이 경쟁에서 노동자가 버티기는 쉽지 않아.
질 질
애초에 이런 힘 겨루기에서 자본가가 노동자보다 유리하거든. 자본가는 재산이 있으니 당장 계약이 이루어지지 않아도 오랫동안 버틸 수 있지만
노동자는 하루 버티기도 힘들어.
아빠, 배고파~!
으 아 앙~
자본가는 이런 약점을 이용해 노동자를 싼 임금에 고용해서 많이 부려 먹는 거야.
굽신
마르크스는 이에 분노했어.

마르크스는 자본주의를 ‘자본가가 자신의 자본을 불려 가기 위해 노동자를 착취하는 것’으로 이해했어.

그는 자본가가 자신의 자본을 더 크게 불려 가는 유일한 방법은 노동자를 착취하는 것이라고 생각했지.
탈 탈

그리고 사유재산 제도가 존재하는 한 이러한 착취가 불가피하다고 보고 공산주의 혁명을 주장했어.
모두가 공평하다면 이런 일이 없을 텐데….
그래! 사유재산 제도를 없애 버리면 돼!

마르크스는 자본주의가 유지되기 위해서는 임금노동자가 반드시 필요하다고 보았어.

이들이 있어야 착취를 통해 자본가들이 살찌고

자본가들이 살쪄야 자본주의가 잘 굴러간다는 거야.

그래서 착취할 노동자들이 없어지면 자본가도 존재할 수 없고
자본주의도 소멸하고 마는 거지.

마르크스는 사유재산 제도를 없애면 모든 사람이
평등하게 잘 먹고 잘사는 사회가 된다고 했지만

나는 공산주의 사회가 된다 해도 억압하고 착취하는
현상은 사라지지 않는다고 생각했어.
오히려 더 심해질 수 있다고 생각했지.

난 그를 막아야 한다고 생각했지만 많은 사람들이 마르크스를 지지했어.

….

그러다 공산주의 국가가 생겨났지만

망하고 말았지.

억압과 착취가 너무 심했기 때문이야.
안 돼.
하지 마.
네 것은 없어.

사유재산을 가지지 못하게 하는 것 자체가 억압과
착취였어.
으앙!

자본주의에서 돈은 중요해.
아까도 말했듯 생산자본은 돈을 뜻하거든.
또한 자본주의가 생겨나고 유지되기 위해서는 임금노동자가 필요하고
마르크스가 말한,
노동자 착취현상이 많이 있었다는 것도 잘 알아.
하지만 그게 자본주의의 본질적 특징은 아니라고 생각해.
글쎄, 그게 아니라니깐!
끙
권력을 가진 자가 권력이 없는 자를 억압하고 착취하는 현상은 인류 역사, 어느 곳에서나 있어 왔기 때문이야.
암행어사 출두요~.
나리~ 기다리고 있었사옵니다.

나는 자본주의의 본질적인 특징이 '노동의 합리적 조직'에 있다고 생각해.
서류
?
노동의 합리적 조직
말이 좀 어렵지?
쉽게 설명해 줄게. 중요한 내용이니 잘 기억해 둬.
자본주의 정신이란 첫째, 일하는 것은 그 자체로 가치 있는 것이다.
일
가치
둘째, 정직하고 근면한 노동을 통해 돈을 버는 것이 인생의 최고목표다.
정직
근면
셋째, 시간을 허비하는 것을 경멸하고 계획을 세워 실천하는 생활을 한다.
생활계획
쾌락
행복
즐거움
넷째, 일하기 위해 쾌락, 행복, 즐거움 등을 포기하고 쓸데없는 휴식과 게으름을 물리친다.
다섯째, 돈을 모으기 위해 절약하고 검소하게 생활한다.
이런 생활방식을 말해.
자본가든 노동자든 이런 생활방식으로 살아가는 것이 바로 자본주의야.
생활계획

한번 상상해 봐. 이런 다섯 가지 생각을 가지고 살아가는 사람의 하루 일과를 말이야.

그는 시간을 금처럼
귀하게 여기고
하루의 생활계획표를 미리 짜 놓고
그 계획표대로 살아가는 거야.
생활계획표는 부지런히 일해서 더 많은
돈을 벌기 위한 방식으로 짜여 있겠지.
무슨 애가
놀 궁리만 하니?
으악~
그런 게
어딨어요!

에이~
인간이 어떻게
그러고 살아요?
내가 말하는
노동의 합리적 조직이란
그런 식으로 살아가는
태도를 말한단다.
나는 이 책에서 이것을 '자본주의 정신'이라고 불렀어.
이것이야말로
자본주의의 본질적인
특징이지!

한마디로 돈보다 자본주의 정신이 더 중요하다는 거야.
자본
주의
정신

잘 생각해 봐.

사실 돈에 대한 욕망은 모든 사람이
갖고 있는 거야.

술집 웨이터, 의사, 마부, 예술가, 창녀, 부패한 관리, 군인, 귀족, 도박꾼, 거지 등
동서고금의 모든 사람이 가지고 있지.
돈!

그리고 중국, 인도, 바빌론, 이집트, 고대 지중해, 중세의 서양 등 모든 지역의 사람들도
돈에 대한 욕망을 갖고 있었어.

이들 지역에서도 소매상인, 도매상인, 지역상인 들이 있었고,
또 해외무역에 종사하는 사람들도 있었어.

하지만 이들에게 자본주의 정신은
존재하지 않았어.

자본주의는 오직 서양에서만 출현했어. 너희들도 자본주의가 서양, 특히 영국과 미국에서 먼저 나타나 지구의 모든 지역으로 퍼져 나가고 있다는 사실을 알고 있지?
자본주의가 조선 말 한국에 들어오려고 했을 때 그것을 막으려고 대원군이 쇄국정책*을 썼잖아?
위정척사**를 내걸었지. 올바른 것을 지키고 나쁜 것을 배척하자는 말이야.
중국도 자본주의를 받아들이지 않으려고 쇄국정책을 썼어.
그러나 일본은 자본주의를 빨리 받아들였지.
그 결과 일본은 강한 나라가 되어 한국을 식민지로 삼고 중국을 굴복시키고 러시아까지 패배시켰어.

*쇄국정책 – 다른 나라와의 통상과 교역을 금지하는 정책. **위정척사 – 주자학을 지키고 서양 사상을 물리치기 위해 내세운 주장.

사실 자본주의가 생겨나기 전에는 서양의 나라들이 동양의 나라들보다 더 낙후했다고 할 수 있어.
그러나 자본주의가 생겨난 지 얼마 안 되어 급속도로 발전했어.
이처럼 자본주의는 나라를 발전시키는 힘을 키워 줘.

영국은 지구의 모든 지역에 군대를 보낼 수 있는 나라가 되었고, 19세기에는 '해가 지지 않는 나라'라고 불렸어.
오늘날에는 가장 자본주의적 나라인 미국이 영국의 뒤를 이어 세계의 유일 초강대국이 되었어.
한국도 1960년대부터 자본주의를 적극 받아들여 나라가 급속하게 발전했지?
북한은 자본주의를 거부하고 문을 닫고 있어 형편이 말이 아니야.
중국도 북한처럼 자본주의를 거부하다 덩샤오핑의 흑묘백묘론에 기초해 자본주의를 받아들였고 빠른 발전을 이루고 있어.
흑묘백묘론이란, 검은 고양이든 흰 고양이든 쥐만 잘 잡으면 된다는 이론이야.
그러나 자본주의를 받아들여 운영하는 것은 쉬운 일이 아니야.
대개 맹목적으로 돈을 추구하는 것으로 받아들이거든.
게 섰거라!
이런 건 자본주의라고 말할 수 없어.
그럼 뭐라고 부르는 걸까?

돈이 최고라는 생각으로
힘으로 빼앗고
훔치고
무덤까지 파지.
자본주의가 이런 식으로 뒤틀려 나타나는 현상들을 앞에서 말했듯 '천민자본주의'라고 해.

한국사회도 자본주의를 수용해 성공적으로 국가발전을 이루긴 했지만
자
의
본

천민적인 행태가 여전히 남아 있어.
맛있는 만두

따라서 자본주의를 제대로 운영하려면 합리적으로 노동하는 자본주의 정신을 습득해야 해.
자본주의 정신

그런데 잠깐!

이 자본주의 정신은 어디서 나타난 걸까?

자본주의 정신이 나타난 건
우연이었어.
중세시대에는 교황과 황제로 대표되는
두 무리가 있었는데
그중 권력의 정점에 다다른 종교가
타락하면서 자본주의 정신이
시작됐지.
기부금을 많이 내면 구원받을 수 있습니다.
강도질했는데 용서받을 수 있을까요?
그럼요.
죄를 지었어요! 면죄부를 제게 파세요!
신께서 죄를 사하여 주실 것입니다.
면죄부
그렇게 가톨릭은 세상의
비웃음을 샀어.
그때, 독일의 영웅 루터*가
나타났지.
그는 독일의 사상과 철학을 형성하는 데
절대적인 영향을 끼친 인물이야.
와아ー
그가 어떤 일을 했냐 하면

*루터 Martin Luther 1483~1546.

가톨릭의 행태를 비판하는 95개의
반박문을 비텐베르크 교회 정문에 붙여
놓았어.
95개의 반박문
당시로서는 매우 용기 있는
행동이었어.
멍
멍멍!
이 일은 프로테스탄트가
생기는 계기가 되었지.
응애!

그러나 프로테스탄트 교회를 성장시키고 널리 보급시킨 건 루터가 아니야.
내 역할은 여기까지….
칼뱅*이라는 프랑스 사람이지.
다음을 부탁하오.
내게 맡기시오.
그는 타락한 가톨릭을 대신하는 새로운 기독교 왕국을 세우려 했어.
참된 믿음에 근거한 교회를 세우자.
그는 《그리스도교 강요(綱要)》라는 책을 썼지.
그리스도교 강요
이 책은 《성경》 다음으로 많이 팔린 기독교 관련 책이야.
강요란 요점이란 뜻이야.
이 책의 출간으로 그는 종교개혁의 지도자가 되었어.
내 책에서 프로테스탄트라고 할 때는
나?
칼뱅의 기독교 사상을 따르는 무리를 지칭하는 거야.
칼뱅의 사상은 영국과 미국에 아주 큰 영향을 끼쳤는데
이 무리를 청교도(淸敎徒)라고 불러.
칼뱅주의와 똑같은 말이야.
청교도
프로테스탄트
잘 기억해 두렴.

*칼뱅 Jean Calvin 1509~1564.

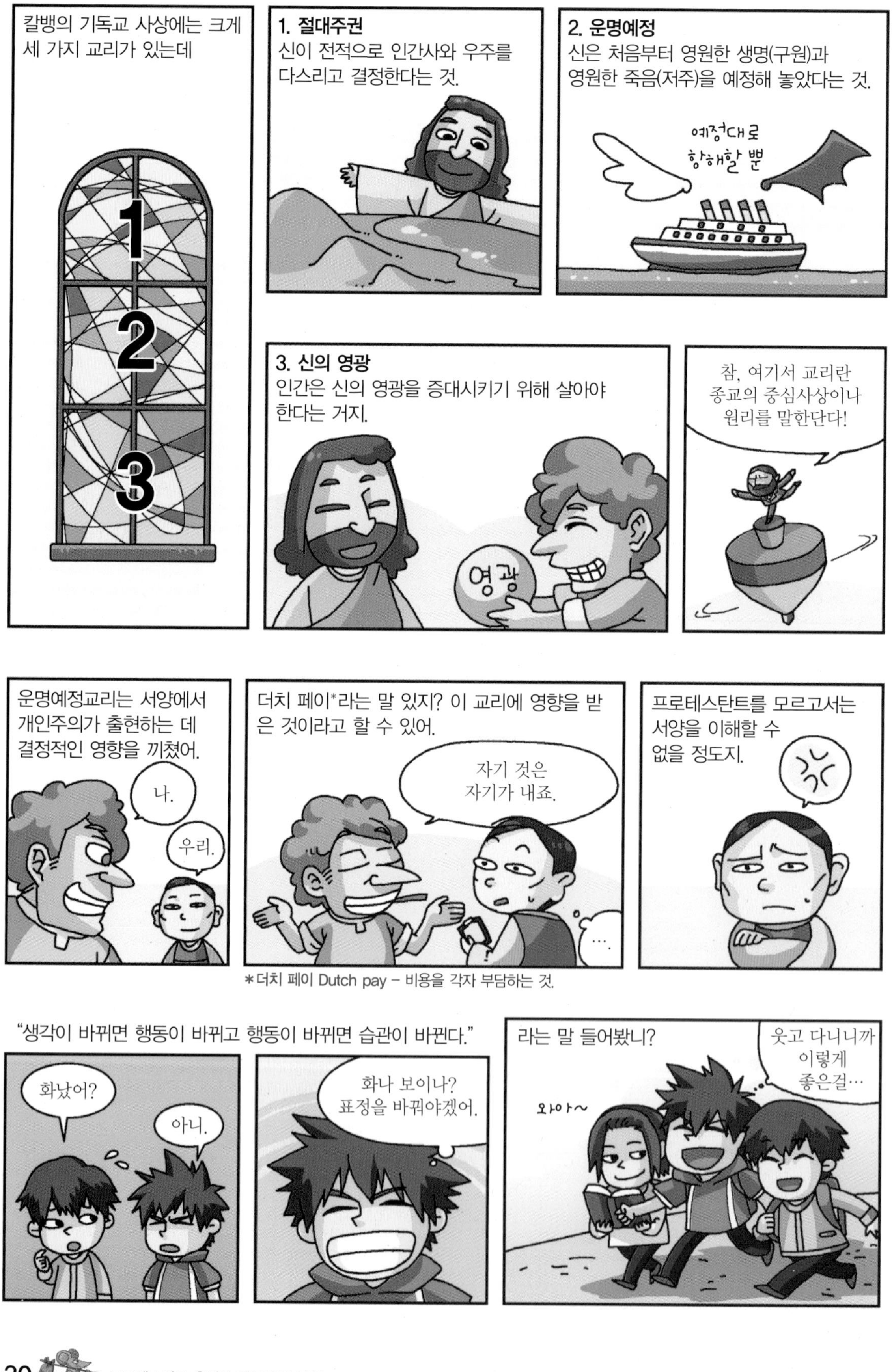
칼뱅의 기독교 사상에는 크게 세 가지 교리가 있는데
1
2
3
1. 절대주권
신이 전적으로 인간사와 우주를 다스리고 결정한다는 것.
2. 운명예정
신은 처음부터 영원한 생명(구원)과 영원한 죽음(저주)을 예정해 놓았다는 것.
예정대로 항해할 뿐
3. 신의 영광
인간은 신의 영광을 증대시키기 위해 살아야 한다는 거지.
영광
참, 여기서 교리란 종교의 중심사상이나 원리를 말한단다!
운명예정교리는 서양에서 개인주의가 출현하는 데 결정적인 영향을 끼쳤어.
나.
우리.
더치 페이*라는 말 있지? 이 교리에 영향을 받은 것이라고 할 수 있어.
자기 것은 자기가 내죠.
….
프로테스탄트를 모르고서는 서양을 이해할 수 없을 정도지.
"생각이 바뀌면 행동이 바뀌고 행동이 바뀌면 습관이 바뀐다."
화났어?
아니.
화나 보이나? 표정을 바꿔야겠어.
라는 말 들어봤니?
와아~
웃고 다니니까 이렇게 좋은걸…

＊더치 페이 Dutch pay – 비용을 각자 부담하는 것.

칼뱅의 교리에 의해
운명은 정해져 있습니다.
제가 무슨 짓을 해도 운명은 바뀌지 않나요?
제 운명은 어떤 건가요?
서구사람들의 생각이 바뀌고,
idea
다음 버스 갈아타면서 생각도 갈아타볼까?
칼뱅의 의도와는 전혀 관계없이
성공은 구원의 증거입니다.
그래! 열심히 일해서 성공하자!
어떻게 일해야 성공할 수 있지?
뜻밖의 결과를 가져온 거야.
전혀 생각지도 않게 자본주의 정신을 만들어낸 거지.
아니 땐 굴뚝에서 연기가?!
앞서 말했듯이 우연이란 거지.
역사는 우연히 이루어진 게 많아.
프로테스탄트를 받아들인 나라는 대개 부유해.
프로테스탄트
대표적인 나라로 미국이 있지.
미국은 프로테스탄트를 받아들인 청교도들을 조상으로 뒀어.
청교도
미국 땅

지도를 보면 더 쉽게 알 수 있어.
미국, 캐나다,
노르웨이, 스웨덴, 덴마크, 영국, 네덜란드, 독일, 스웨덴 등등….
모두 프로테스탄트의 영향을 받은 나라야.

마르크스는 자본주의가 영국에서 일어난 약탈에서 시작됐다고 보았어.

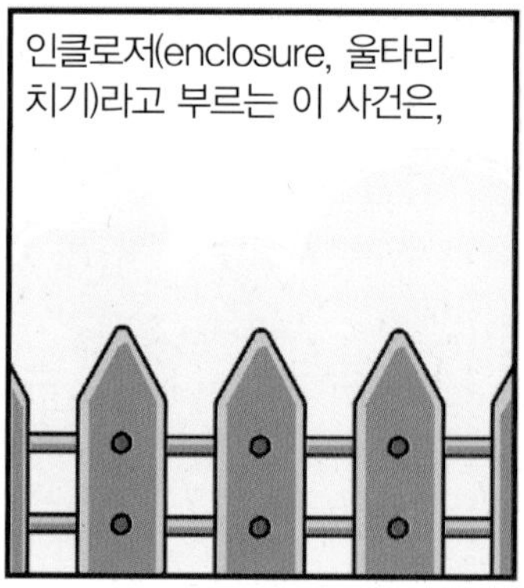
인클로저(enclosure, 울타리 치기)라고 부르는 이 사건은,

"양들이 사람을 먹어 치운다."*는 말이 나올 정도로 무시무시한 약탈이 행해졌어.

*영국의 정치가 토마스 모어(1478~1535)가 한 말.

당시 유럽에서는 양털로 옷감을 만드는 산업(모직산업)이 번창했는데

이 모직산업 때문에 양털가격이 많이 올랐거든.

그랬더니 돈 욕심이 난 못된 지주들이 땅에서 농민들을 쫓아내고 울타리를 쳐 양을 기르기 시작했지.

그게 원인이 되어 무산자가 생겼고
그들은 돈을 벌기 위해 도시로 몰려가 임금노동자가 됐어.
이로써 자본가가 노동자를 착취할 수 있는 여건이 마련되어 자본주의가 생겨났다는 거지.
썰매 끌 사람~!
X-mas
하지만 난 생각이 달라.
사람에게 육체와 영혼이 있듯이
물질적인 이유만으로 자본주의가 나타난 것을 설명할 수는 없다고 봐.
자본주의가 나타나기 위해서는 정신적인 요소가 꼭 필요해.
자본주의
정신적 요소
물질적 요소
난 그것을 칼뱅의 교리에서 찾아냈고,
이 책에서 세 가지 교리가 자본주의 정신과 어떻게 관련 있는지 자세히 밝힐 거야.
자~ 이제 대충 어떤 책인지 알겠지?
프로테스탄트 윤리와
자본주의 정신
그럼 좀 더 자세한 내용을 알아보러 가자고!

제2장 막스 베버는 누구인가?

다시 만나서 반가워.
이번 장에서는 내 소개를 하도록 할게.
난 '막스 베버(Max Weber)' 라고 해. 독일사람이지.
영어로는 웨버, 독일어로는 베버라고 불러.
w는 '우' 발음! 이에요우~.
아니야. '베' 발음이야!
내 이름 Weber는 거미줄 web과
사람이란 뜻의 접미사 er을 붙인 것으로
Mix
er
거미줄 치는 사람이란 뜻이 있어.
내 꿈과 묘하게 일치하지.

내 꿈은 내 이상에 따라 독일을 부강한 나라로 설계하는 것이었어.
그러기 위해서 책을 몇 권 썼지.
《직업으로서의 정치》와 《직업으로서의 학문》 그리고 《관료제》 등이 그거야.
직업으로서의 정치
직업으로서의 학문
관료제
정치가와 학자, 국가관료들이 어떻게 행동해야 하는지에 대해 설계한 책이야.
정치
관료
학자
《프로테스탄트 윤리와 자본주의 정신》 역시 국민들이 경제활동을 어떻게 해야 하는지에 대해 설명한 책이지.
마치 거미가 집을 짓듯 정교하게 말이야.
학자들은 '카리스마' 하면 나를 떠올려.
카리스마는 '신의 은총'이란 뜻의 그리스어 Khárisma에서 유래한 것으로
보통 사람이 가질 수 없는 비범한 재능이나 능력을 말해.
예수, 석가, 공자, 알렉산더, 나폴레옹 등등… 이들은 보통 사람은 풀지 못하는 문제를 쉽게 해결하고 돌파했어.
나를 따르라!
보통 사람은 그들의 능력에 압도당하고 저절로 복종하게끔 되지.

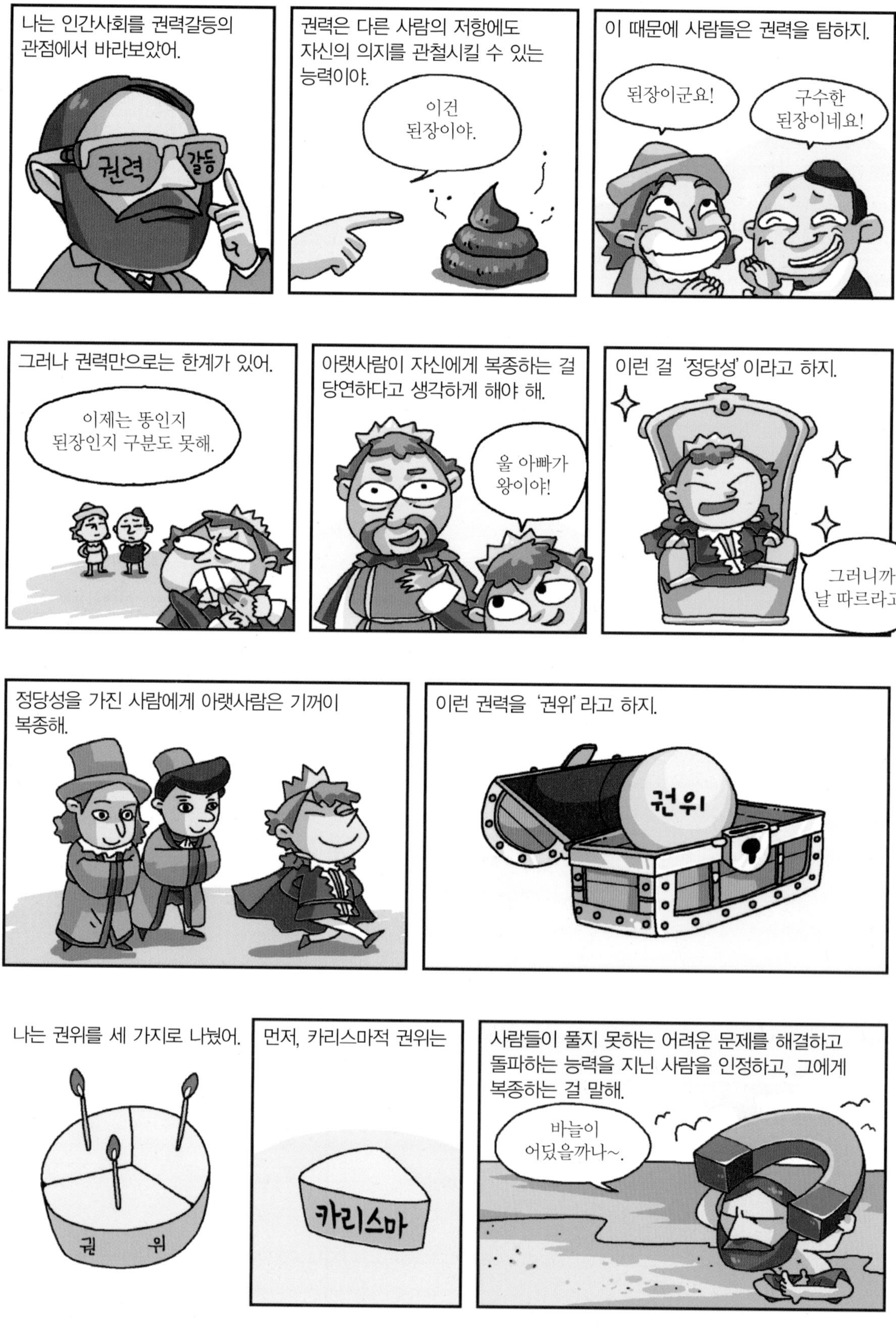
나는 인간사회를 권력갈등의 관점에서 바라보았어.
권력
갈등
권력은 다른 사람의 저항에도 자신의 의지를 관철시킬 수 있는 능력이야.
이건 된장이야.
이 때문에 사람들은 권력을 탐하지.
된장이군요!
구수한 된장이네요!
그러나 권력만으로는 한계가 있어.
이제는 똥인지 된장인지 구분도 못해.
아랫사람이 자신에게 복종하는 걸 당연하다고 생각하게 해야 해.
울 아빠가 왕이야!
이런 걸 '정당성'이라고 하지.
그러니까 날 따르라고!
정당성을 가진 사람에게 아랫사람은 기꺼이 복종해.
이런 권력을 '권위'라고 하지.
권위
나는 권위를 세 가지로 나눴어.
권 위
먼저, 카리스마적 권위는
카리스마
사람들이 풀지 못하는 어려운 문제를 해결하고 돌파하는 능력을 지닌 사람을 인정하고, 그에게 복종하는 걸 말해.
바늘이 어딨을까나~.

다음으로 전통적 권위는
전통
오랜 세월 동안 관습이 되어 왔기 때문에 당연히 복종하는 것을 말해.
정몽주와 이성계의 권력다툼은 전통적 권위와 카리스마적 권위의 대표적 충돌이라 할 수 있지.
새 왕조를 세우려 한 카리스마 권위의 이성계
고려 왕조의 전통적 권위를 지키려 한 정몽주
마지막 합법적 권위는
합법
오늘날 주로 나타나는 권위 형태로, 법에 입각해 복종하는 것을 말해.
충성!
이는 헌법에 쓰여 있기 때문이지.
공무수행 중에 공무원은 자신의 의견과 다르더라도
대통령의 의견에 복종하라
학자들이 카리스마 하면 나를 떠올리는 이유는 내가 카리스마적 권위를 중요시했기 때문이야.
오늘도 미간에 주름잡아 볼까!
참, 이건 비밀인데
사람들의 생각과 달리 난 어렸을 때 병약하고 소극적이었어.
아버지는 나와 이름이 같았고 변호사이자 판사셨지. 나중에는 국회의원이 되셨어.
그는 물질적 성공을 중요시하고 자유분방한 생활을 즐기는 쾌락주의자였어.
권위적인 사람이 되고자 했으며, 가족을 자신의 뜻대로 통제하려 했지.
너희는 나만 따르면 돼.
흥

어머니 헬레네는 프로테스탄트 윤리를 갖고 계셨고
프로테스탄트 윤리
감수성이 풍부하고 수줍음을 잘 타며 종교적으로 경건한 사람이었어.
그런 어머니를 아버지는 항상 통제하고 억압하셨지.
난 1864년 4월 21일, 독일 에르푸르트에서 일곱 아들 중 장남으로 태어났어.
두 살때 중병에 걸려 다른 아이들보다 작고 왜소했지.
그 때문인지 몰라도 난 책을 많이 읽었어.
아버지는 중앙에서 활동하는 정치가였기에 우리 집엔 거물급 정치가들과 학자들이 자주 방문했어.
나는 이따금 그들의 이야기를 곁에서 듣곤 했지.
이런 분위기 때문에 난 지적으로 매우 조숙했어.
학교의 가르침은 너무 수준이 낮았고 어울릴 만한 아이들도 없었어.
애들도 멍청해.
그래서 규율을 무시하는 등, 말썽을 좀 많이 피웠지.
아오오~

나는 1882년 고등학교를 졸업하고 하이델베르크 대학에 입학해 법학을 공부했어.
법학
난 아버지를 존경했기에 아버지처럼 행동하려 노력했어.
내 사진을 자세히 보면 상처 자국이 있는데 이것은 아버지가 활동했던 결투 클럽에서 생긴 거야.
나는 점점 강건한 청년으로 변해 갔어.
하지만 이런 생활도 공부를 방해하지는 못했어.
열공
노는 것도 공부하는 것도 완벽히 해냈지.
막스 베버
반 석차
전 교
1/40
1/240
A+
A+
이런 나에게 인생의 큰 전환점이 왔는데
1883년 군대에 복무하기 위해 프랑스의 스트라스부르에 사는 이모부 내외와 함께 지낼 때야.
이모부는 평등이란 이념을 지닌 분이었어.
권위로 나를 짓누르던 아버지와는 달리 나를 지적인 동료로 대해 주셨지.
그때부터 난 아버지의 그림자를 벗어나 이모부를 닮으려 했어.
캬!

이모는 어머니와 같은
프로테스탄트 신자셨지만
자신의 종교적 가치를
매우 적극적으로 강하게
추구했다는 점에서 달랐어.
깨끗
이걸 보면서 나는 프로테스탄트 윤리를
존경하게 되었지.
존
경
그렇다고 내가 기독교인이라는
건 아니야.
기독교
사회사상으로서 관심을 가지게 된
것뿐이거든.
프로테스탄트
사회사상
어렸을 때부터 안팎으로 기독교 영향을
많이 받았는데도 신자가 되지 않은 걸
보면 난 종교치인가 봐.
음치가 아니라
종교치라네~
이모의 딸이자 내 약혼녀인
'에미' 도 여기서 만났지.
이렇게 나는 이모부 댁에서 많은 걸
배웠어.
더불어 아버지에 대해서는
적개심이 생기기 시작했어.
퍽
1884년 군복무를 마친 나는
베를린 대학에 등록해서
대학등록안내
〈중세 무역회사의 역사〉라는 논문으로
박사학위와 강사자격을 얻었지.
중세 무역회사의
역사
나의 스승 몸젠은 후계자 자리를
물려줄 정도로 매우 만족해 했어.
이 창이
너무 무겁구나.
이제 네가 들거라.

나는 이곳에서 7년 동안 연구활동을 했는데
이런 연구는 아니고….
한 가지 업무를 마치면 곧장 다른 업무에 매달리며 열심이었지.
대부분의 시간을 이모부 댁에서 보냈지만
학비를 전적으로 아버지에게 의존해야 해서 마음이 편치 않았지.
아버지를 미워하는 마음이 점점 더 심해지는 만큼
퍽
나는 미친 듯이 연구활동에 매달려 일종의 도피를 꿈꿨어.
그러던 중 에미가 정신적으로 약해져 파혼을 하고 요양소로 떠났어.
다시는 사랑하지 못할 줄 알았는데 1892년 마리안네를 만나 결혼하게 되었지.
그녀는 아버지쪽 사촌으로, 아내이자 훌륭한 지적 동반자였어.
내가 죽은 후 아내는 내 전기를 썼는데
이것은 나를 연구하는 사람들에게 좋은 자료가 되고 있어.
증거
외
머리카락
결혼 반지
만년필

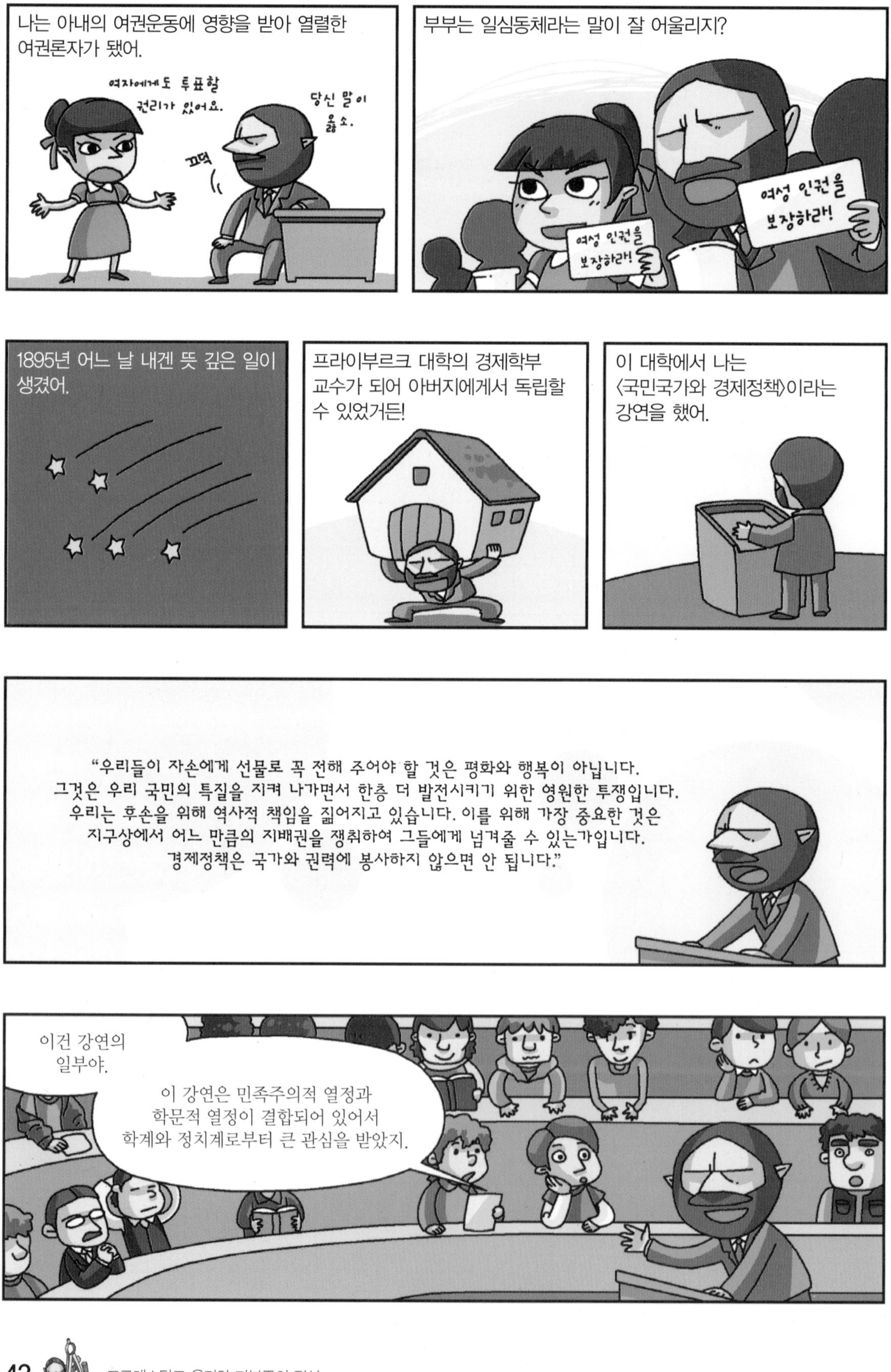

나는 아내의 여권운동에 영향을 받아 열렬한 여권론자가 됐어.
여자에게도 투표할 권리가 있어요.
당신 말이 옳소.
끄덕
부부는 일심동체라는 말이 잘 어울리지?
여성 인권을 보장하라!
여성 인권을 보장하라!
1895년 어느 날 내겐 뜻 깊은 일이 생겼어.
프라이부르크 대학의 경제학부 교수가 되어 아버지에게서 독립할 수 있었거든!
이 대학에서 나는 〈국민국가와 경제정책〉이라는 강연을 했어.
"우리들이 자손에게 선물로 꼭 전해 주어야 할 것은 평화와 행복이 아닙니다. 그것은 우리 국민의 특질을 지켜 나가면서 한층 더 발전시키기 위한 영원한 투쟁입니다. 우리는 후손을 위해 역사적 책임을 짊어지고 있습니다. 이를 위해 가장 중요한 것은 지구상에서 어느 만큼의 지배권을 쟁취하여 그들에게 넘겨줄 수 있는가입니다. 경제정책은 국가와 권력에 봉사하지 않으면 안 됩니다."
이건 강연의 일부야.
이 강연은 민족주의적 열정과 학문적 열정이 결합되어 있어서 학계와 정치계로부터 큰 관심을 받았지.

내가 앞에서 인간사회를 권력갈등의 관점에서 본다고 했던 것 생각나?
권
력
갈
등
관
점
권력이 뭔지는 알지?
자신의 의지를 관철시키는 것이오.
의지
그래. 그래서 사람들은 권력을 탐내지.
권력
따라서 사람들은 권력을 향한 갈등에 빠질 수밖에 없어.
찍 찍 찍 찍 찍 찍 찍
권력갈등은 사회를 혼란스럽게 해.
혼란에 빠진 사회에 질서를 가져오려면 강한 힘의 지배가 필요하지.
인간사회는 이런 권력 있는 자의 지배와 복종의 관계로 이루어져 있어.
찍 찍
난 국제사회도 이와 마찬가지라 생각했지.
나는 독일이 지배자가 되기 위해 강한 권력을 가져야 하며,
이를 위한 경제정책을 펴야 한다고 생각했어.
너희가 듣기엔 섬뜩하겠지만 이때는 이런 투쟁이 당연한 시대였단다.
당근이었지!

1차 대전과 2차 대전도 이런 투쟁 때문에 일어난 거라 할 수 있어.
독일은 다른 나라보다 더욱 이런 열정에 사로잡혀 있었어. 일종의 광기였지.
열정
어쨌든, 난 이 강연으로 명성을 얻었어.
명성
1896년엔 처음 입학했던 하이델베르크 대학에 경제학부 교수로 초빙되었지.
귀하를 하이델베르크 경제학부의 교수로 모시고싶습니다.
나는 곧 그곳으로 이사했고 내 집엔 훌륭한 지식인과 과학자 들이 몰려들었어.
나는 젊은 나이에 학자들 사이에서 중심인물이 되었어.
차세대 리더, 이런 거지. 흐흐.
그러던 중 불행한 사건이 터지고 말았지.
아버지, 어머니. 어서 오세요.
하하!
우린 이만 가보마.
벌써요? 조금만 더 있다 가요.
내 뜻을 거역하겠단 거요?

그때 그만 아버지에 대한 불만이 폭발하고 말았지.
다시 오지 마세요!
쾅!
아버지는 그때의 충격으로 얼마 안 있어 돌아가시고 말았어.
자랑스러운 장남에게 그런 말을 들으리라고는 생각도 못한 거지.
아버지가 돌아가신 충격으로 나도 신경쇠약에 걸리고 말았지.
이모부 댁에 머무르면서 프로테스탄트를 새로 인식하게 되면서 어머니에 대한 애정도 생겼고,
어머니를 권위적으로 함부로 대하는 아버지가 미웠지.
하지만 동시에 아버지를 매우 존경하기도 하는
이런 모순된 감정으로 힘들었는데 아버지가 돌아가시자 내면적 괴로움이 신경쇠약이 되어 나타난 거야.
이후 나는 정신적으로 파멸되어 5년이 지나도록 회복할 수 없었어.

거의 아무 일도 할 수 없었어.
지금은 책 읽는 것조차 힘들구려….
휴식을 위해 여러 곳을 여행했지만
회복될 듯하다가도 다시 재발하곤 했지.
수많은 전문가들에게 치료를 받아도 소용없었어.
그래도 포기하지 않고 버텨낸 결과 1903년에 지적인 힘을 회복할 수 있었지.
병에서 회복된 후 난 미국을 여행했어.
여기서 나는 미국 문명의 특성에 많은 감명을 받았지.
특히 자본주의 형성에 프로테스탄트가 한 역할에 대해 깊이 생각하게 되었어.
프로테스탄트
이 《프로테스탄트 윤리와 자본주의 정신》은 1905년, 미국여행에서 돌아온 후에 출판되었어.
프로테스탄트 윤리와 자본주의 정신
전격출판!!
돌아왔소.
이후 나는 다시 왕성하게 글을 썼고
우리 집에는 뛰어난 학자들이 출입하기 시작했어.

하지만 신경쇠약이 재발할 것을 우려해
하루에 여섯 시간만 일했고
친구들과의 만남도
사교생활도 최소한으로 한정했어.
최소로 압축!
사교생활
병을 핑계삼아 오직 창조적인
연구에만 몰두했지.
그렇다고 나만을 위해
틀어박혀 지냈다는 건 아니야.
1차 대전이 일어났을 때 민족주의적
열정으로 군대에 자원하기도 했어.
나는 예비장교로 하이델베르크 지방에 야전병원
아홉 개를 세우고 감독하는
임무를 맡았지.
하지만 곧 그만두었어.
독일지도자들이 참으로
어리석었기 때문이야.
특히 그들은 영국과 유럽을 항해하는
모든 선박을 공격하도록 명령한 거야.
심지어 미국 선박까지
공격했어.

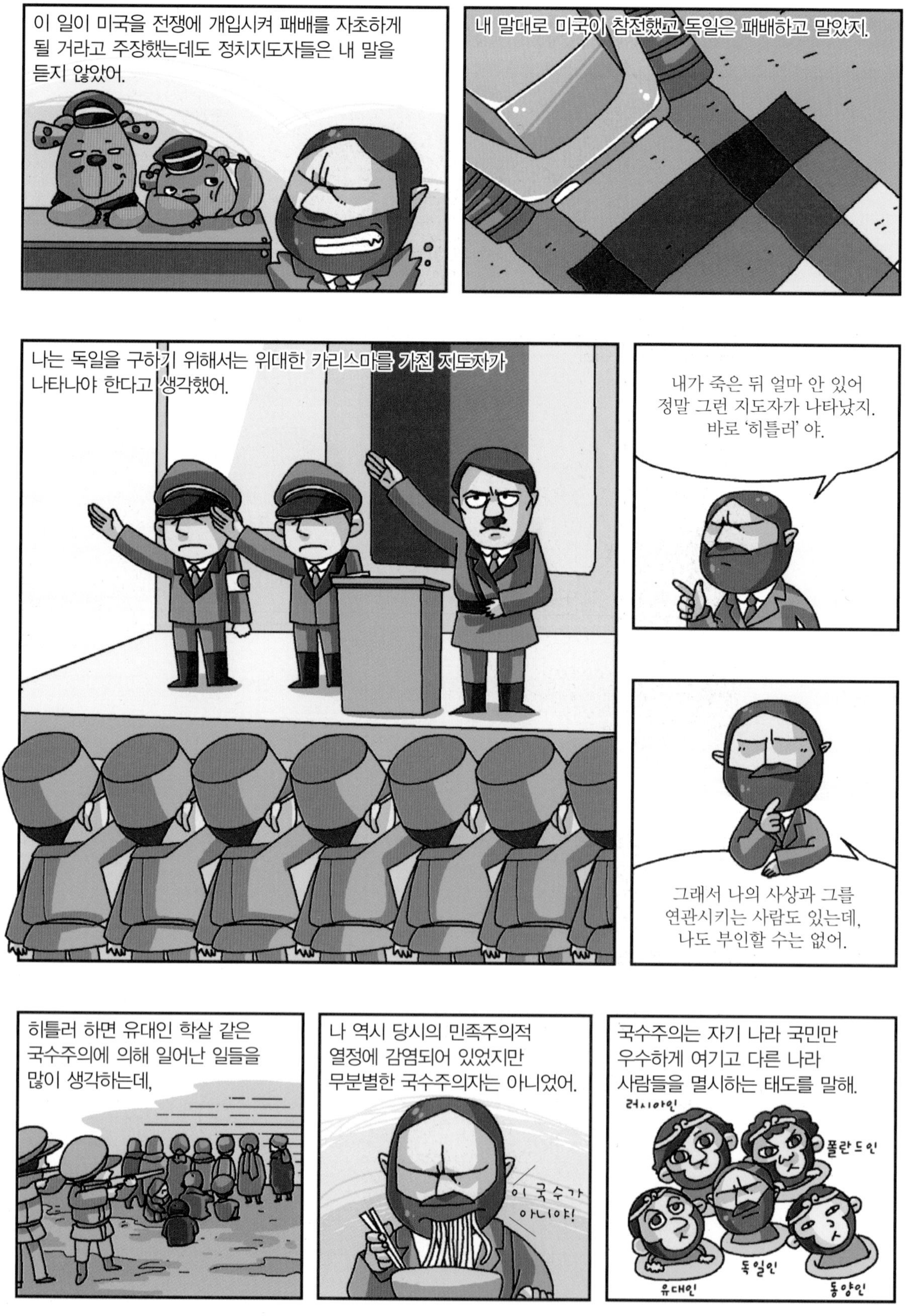
이 일이 미국을 전쟁에 개입시켜 패배를 자초하게 될 거라고 주장했는데도 정치지도자들은 내 말을 듣지 않았어.
내 말대로 미국이 참전했고 독일은 패배하고 말았지.
나는 독일을 구하기 위해서는 위대한 카리스마를 가진 지도자가 나타나야 한다고 생각했어.
내가 죽은 뒤 얼마 안 있어 정말 그런 지도자가 나타났지. 바로 '히틀러' 야.
그래서 나의 사상과 그를 연관시키는 사람도 있는데, 나도 부인할 수는 없어.
히틀러 하면 유대인 학살 같은 국수주의에 의해 일어난 일들을 많이 생각하는데,
나 역시 당시의 민족주의적 열정에 감염되어 있었지만 무분별한 국수주의자는 아니었어.
이 국수가 아니야!
국수주의는 자기 나라 국민만 우수하게 여기고 다른 나라 사람들을 멸시하는 태도를 말해.
러시아인
폴란드인
독일인
유대인
동양인

나는 러시아인, 폴란드인,
유대인 들이 차별당할 때
이들의 권리를 옹호하면서 이들을
차별하는 자들과 싸웠어.
자네, 이들에게
당장 사과하게.
차별하는 사람이 친구라면 친구 관계를
깨뜨릴 각오까지 하면서 단호히
비판했지.
왜 면회를 허락해
주지 않는 거지?
저자는
프랑스인일세.
이런 비열한…!
나는 동료들의 불의와 도덕적 나태함에 대해
분노하는 예언자처럼 행동했으며
편견에 굴복하지 않았어.
1920년 6월, 난 고열이 나는 병을
앓았는데
단순한 독감인 줄 알았지만
폐렴이었지.
그리고 며칠 후, 난 죽고 말았어.

언젠가 누가 나에게 이렇게 물었어.
학문을 하는 게 당신에게 어떤 의미죠?
나는 답했지.
내가 얼마나 견뎌낼 수 있는지 알고 싶을 뿐이오.
이상한 대답이지? 그래도 나에게 학문은 그랬어. 마음의 고통을 견딜 수 있는 수단이었지.
병에 걸렸던 그때, 나는 사는 데 많이 지쳐 있었는지도 몰라.
이렇게 삶의 끈을 끊고 싶었지.
여기서 내 소개를 마칠까 해.
아직도 지구상에는 가난한 나라가 훨씬 많아.
억압당하고 착취당하지 않기 위해선 부강해져야 해.
혼자 한다고 이뤄낼 수도 없고 결코 쉬운 것도 아니지.
난 독일이 세계에서 가장 부강한 나라가 되기를 바라면서 이 책을 썼어.
어떻게 하면 강한 국력을 갖출 수 있을까 고민했지.
그렇게 찾아낸 경제적 답이 이 책이야.

'노동하는 자체를 가치 있게 여기고,
노동
정직하고 근면한 노동을 통해 돈을 버는 것을 인생 최고의 목표로 할 것이며,
시간을 허비하는 것을 경멸하며 계획을 세워 생활한다.
돈을 벌기 위해 행복과 즐거움을 포기하고 쓸데없는 휴식과 게으름을 물리치며,
행복
즐거움
그 돈을 모으기 위해 절약하고 검소하게 생활한다.'
바로 이게 자본주의 정신이지!
자본주의 정신을 생활화하면 강하고 위대한 나라가 될 수 있어.
잘사는 나라가 되기 위해서는 자본주의 정신을 꼭 습득해야 해.
하지만 내 책을 받아들이지 않는 사람도 있을 거라 생각해.
됐거든!
내 책은 '금욕하며 열심히 일하라.' 라고만 해서 그럴 거야.
소비자본주의를 살아가는 너희에겐 답답한 소리겠지.

소비자본주의가 뭐냐고?
상품과 부의 소비를 강조하는 자본주의를 말해.
10%
Sale
내가 사는 시대는 생산자본주의
시대였어.
상품과 부의 생산을 강조하는
자본주의를 말하지.
내가 권하는 자본주의 또한
생산자본주의란다.
이때는 상품을 파는
것에 별 관심을
두지 않았지.
멍그러니
생산만 하면 무조건 팔린다고
생각했거든.
세이*라는 유명한 경제학자는 "공급은
스스로 수요를 창조한다."고 말했어.
세이의
법칙이라
부르지.

*세이 J. B. Say 1767~1832 - 프랑스의 경제학자.

상품을 만들면 살 사람이 생긴다
이거야.
흠~
이런 때는 상품을 생산하기 위해 열심히 일하는 것이 필요했어. 그래서
노동을 합리적으로 조직하는 것이 필요했지.
그만….
나도 살래!
나도! 나도!

그런데 어느 날 대반전의 시대가 열린 거야.
1929년, '대공황'이 발생한 거지.
10월 24일 뉴욕 월(Wall)가의 주식거래소에서 주가가 폭락하면서 전세계로 퍼졌어.
헉!

경제학자 케인스*는 공황의 원인을 두 가지로 설명했어.
생산이 지나치게 많이 됐습니다.
그런데 실업자가 많아서 상품을 소비할 수가 없어요.
모두 '풍요 속의 빈곤'이라고 표현했지.

*케인스 J. M. Keynes 1883~1946 – 영국의 경제학자, 언론인.

케인스는 공공사업으로 실업자를 줄이는 정책을 쓰라고 제안했어.
실업자들이 돈을 벌어 소비를 하게 만들자 이거지.
미국의 루스벨트 대통령**은 이 제안을 받아들여 뉴딜(New Deal)정책을 펼쳤어.

**루스벨트 F. D. Roosevelt 1882~1945
– 미국의 제32대 대통령.

대공황 이후 사람들은 소비의 중요성을 인식하게 됐어.
사람들이 저축과 근검절약만 하고 물건을 사지 않아요.
인부를 고용할 수가 없어요.
이런 맥락에서 '소비가 미덕'이라는 말도 나왔어.
주인님, 어서 쓰세요.

기업들도 많은 돈을 들여 광고를 해. 소비가 많이 되어야 기업 운영이 잘 되거든.
피가 잘 돌아야 몸이 건강한 것처럼 사회도 마찬가지란다.
두근
두근
두근
너희가 사는 시대가 이런 소비자본주의 시대야.
그런 시대에 살고 있는 너희는 노동을 강조하는 이 책이 시대에 뒤떨어졌다고 생각할 수 있어.
시대
맞아요, 게다가 대공황도 생산만 하다가 일어난 일이잖아요.
난 노예처럼 일만 하고는 못 살아요.
그건 잘못 생각하고 있는 거야.
매일 아무 일도 안 하고 소비만 한다고 생각해 봐.
곧 망하고 말걸?
생산자본주의가 경제공황에 빠지게 된 건 생산을 강조해서가 아니야.
후읍
소비의 중요성을 몰랐기 때문이지.
뻥!

1997년 한국은 금융위기에 빠진 적이 있어.
IMF구제금융 사건이라고 해.
외국 신문에서는 한국이 샴페인을 너무 빨리 터뜨렸다고 말하곤 했지.
우린 샴페인 같은 것 터뜨린 적 없는데?
무슨 말일까?
아직도 더 일해서 부를 쌓아야 하는데 이만하면 다 됐다 생각하고 마구 소비 했다는 소리야.
내 배를 너무 일찍…
성공을 확인하기도 전에 축배를 든 거지!
일하고 난 후의 휴식이 달콤한 것처럼 생산을 많이 해야 소비가 여유로워.
끙
한마디로, 후진국에겐 여전히 '노동의 합리적 조직'에 의한 생산이 중요하다는 거야.
그러니까 잘사는 나라가 되기 위해서 자본주의 정신을 꼭 습득하길 바라.
습득하는 것에 그치지 않고 습관처럼 생활화하도록!
그러면 곧 부강한 나라가 될 수 있을 거야.

제3장 프로테스탄트 집단이 부유한 이유

자, 이제 슬슬 책 내용으로 들어가 볼까?

먼저 주의사항들이야.

내가 이 책을 1905년에 썼다는 말 기억하지?
1905

책을 읽다 보면 '오늘날'이라는 표현이 나오는데 이건 내가 책을 쓴 20세기 초를 말해.

그리고 프랑스의 칼뱅주의와 영국의 청교도가 프로테스탄트를 지칭한다는 것 역시 꼭 기억해 줘.
칼뱅주의
프로테스탄트
청교도

여러 종교로 이루어진 나라의 직업에 관한 통계를 살펴보면
재미있는 사실을 알 수 있어.
돈을 많이 버는 직업을 가진 사람들 중에 유난히 프로테스탄트 신자가 많다는 거야.
이러한 사실은 가톨릭계에서 꽤 유명해.
부자! 프로테스탄트 많아…
이런 현상은 자본주의가 급속히 발전하는 시기에
직업을 선택한 주민들의 종교집단에 관한 통계를 보면 알 수 있지.
1
2
이건 직업 선택이 자유로울수록 더 두드러져.
3
4
1
2
그 이유는 경제적 측면에서 설명할 수 없어.
종교적 측면
사회적 측면
경제적 측면
흠!
대신 조금 먼 과거로 거슬러 올라가 역사적 상황을 살펴볼 필요가 있지.
경영자, 자본주의자, 고급노동자가 되기 위해서는 돈이 많이 필요해.
비싼 교육을 받아야 하거든.
이렇게 되기 위해서는 조상으로부터 많은 유산을 물려받아야 하지.
$
16세기, 경제적으로 발달한 지역과 도시 들이 프로테스탄트를 받아들였어.
환영합니다~

프로테스탄트는 조상에게서 많은 부를 물려받아 경제적 생존경쟁에서 승리할 수 있었고
그 결과, 프로테스탄트들 중에 경영자, 자본가, 고급노동자가 많이 나타났다고 볼 수 있어.
그렇다면 왜 경제적으로 발전한 지역들이 프로테스탄트를 받아들였을까?
이 부분은 '영웅주의'라는 것과 관련이 있는데
자신의 생활을 엄격하게 통제하면서 행복과 쾌락을 포기하고
열심히 일을 해 돈을 모으는 태도를 말하지.
노동의 합리적 조직이 이런 태도지.
당시 가톨릭은 '이단에게는 벌을 내리지만 죄인에게는 눈감아 주는' 정책을 펴고 있었어.
부를 축적하고 마음대로 사용하는 걸 '죄'로 여겼지만 눈감아 주었던 거야.
못 본 척~
가톨릭은 사람들의 일상생활에 거의 간섭을 하지 않았어.
간섭하더라도 형식적이어서
감시받는다는 느낌을 가지지 못했지.
그래서 오늘날 자본주의를 받아들인 나라들도 가톨릭을 부담스러워하지 않아.
부담
부담
그러나 프로테스탄트는 일상생활을 엄격히 감시했어.

경제적으로 부유한 사람들을 더 엄격히 감독해야 한다고 주장했지.
부자일수록 돈을 어떻게 써야 하는지 더욱 감시해야 해요.
게으름 부리거나 부정적으로 돈 버는 것을 엄격히 금지했고
낭비와 사치스러운 생활도 엄격히 금지했어.
칼뱅주의는 16세기에는 스위스의 제네바와 스코틀랜드에서,
17세기로 넘어가는 시기에는 네덜란드 대부분에서,
17세기에는 미국의 뉴잉글랜드 지방에서, (잠시지만) 잉글랜드 전체에서 지배적인 세력이 되었어.
그곳에서 오랫동안 거주하던 상업귀족들은 칼뱅주의의 엄격한 정책을 힘들어 했지.
그런데 재미있는 건 부유한 자본가 계급들이 청교도주의의 감독정책을 거부하기는커녕
흠!
열렬히 받아들이고 옹호했다는 사실이야.
정말 이상하지 않아?
재미있기도 하고 말이지.
칼라일*이라는 유명한 사상가는 자본가들의 이러한 태도를 '영웅주의'라고 불렀어.
자신을 통제하며 사는 것에 보람을 느끼는 사람이라니….
정말 영웅 같지 않아?

*토마스 칼라일 Thomas Carlyle 1795~1881 – 영국의 사상가, 역사가. 물질주의와 공리주의에 반대하여 인간정신을 중시하는 이상주의를 제창하였다.

그렇다면 경제적 부유함과 프로테스탄트는 어떤 관계가 있을까?
?
프로테스탄트
앞에서 말한 것처럼 프로테스탄트 신자가 돈 많이 버는 직업에 종사하는 것은
조상에게 많은 부를 물려받았기 때문일 수도 있어.
부자이기 때문일 수도 있다는 거지.
$

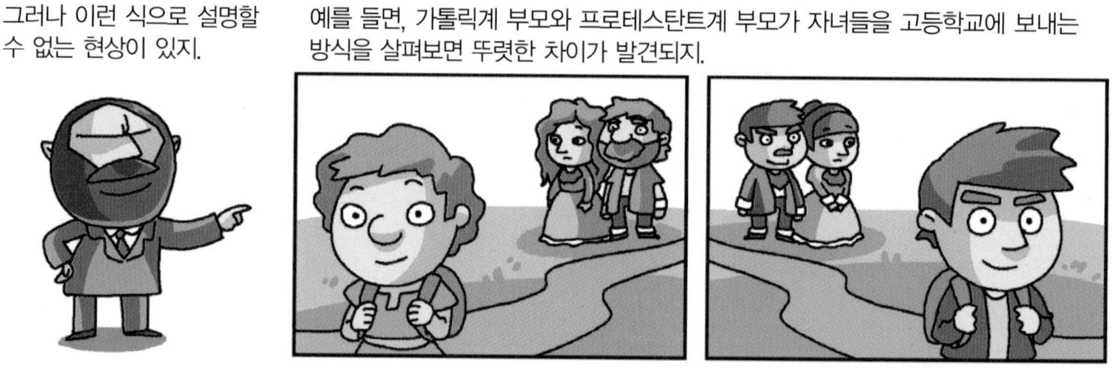
그러나 이런 식으로 설명할 수 없는 현상이 있지.
예를 들면, 가톨릭계 부모와 프로테스탄트계 부모가 자녀들을 고등학교에 보내는 방식을 살펴보면 뚜렷한 차이가 발견되지.

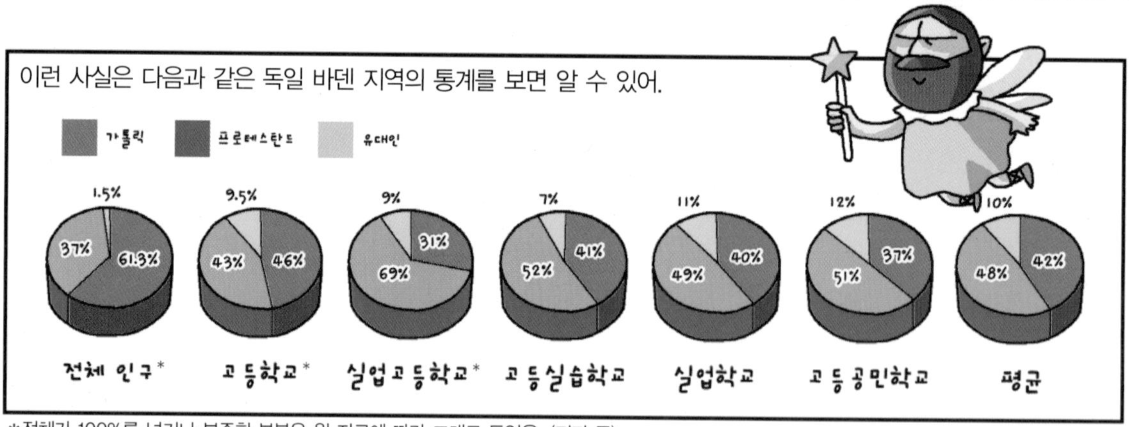
이런 사실은 다음과 같은 독일 바덴 지역의 통계를 보면 알 수 있어.
가톨릭
프로테스탄트
유대인
전체 인구* 37% 61.3% 1.5%
고등학교* 43% 46% 9.5%
실업고등학교* 69% 31% 9%
고등실습학교 52% 41% 7%
실업학교 49% 40% 11%
고등공민학교 51% 37% 12%
평균 48% 42% 10%

*전체가 100%를 넘거나 부족한 부분은 원 자료에 따라 그대로 두었음. (저자 주)

가톨릭은 좋은 직장을 얻을 수 있는 실업계 계통의 고등학교 졸업 비율이 프로테스탄트에 비해 많이 떨어져.
가톨릭
프로테스탄트
반면, 돈 안 되는 인문계 졸업 비율이 우수하지.
인문계
이런 통계는 프러시아, 바이에른, 뷔르템베르크, 알자스로렌 지방, 헝가리 등에서도 나타나.

한국사람들의 관점에서 보면 좀 이상할 거야.
?
?
내가 살던 독일에서는 실업계 고등학교에 가야 좋은 직장을 얻을 수 있었어.
실업계
한국의 인문계 고등학교처럼 말이야.
○○인문고등학교
○○인문고등학교
또 한 가지 현상이 더 있는데
큰 공장에서 일하는 숙련노동자들 중 가톨릭의 비율이 낮다는 거야.
공장주들은 대부분 수공업하는 젊은이들 중에서 숙련노동자를 데려오는데
수공업은 간단한 도구를 사용해서 물건을 생산하는 걸 말해.
이 숙련노동자들 중에 프로테스탄트의 비율이 더 많아.
저희 공장으로 오세요~.
가톨릭계의 젊은이들은 계속 수공업에 남아 있으려는 반면,
프로테스탄트계 젊은이들은 큰 공장에 들어가 고급 숙련노동자와 관리자가 되고 싶어 하거든.
이러한 현상은 경제적인 관점으로는 이해가 되지 않아.
경제적인 요소가 중요하다면 가난한 가톨릭 신자들이 실업계 고등학교에 진학해야 해.
실업계
그래야 졸업 후, 공장에 취직해 돈을 많이 벌 수 있으니까.

프로테스탄트는 경제적인 여유가 있으니 인문계에 진학해도 괜찮겠지.
인문계
그런데 사실은 정반대였어.
나는 이러한 현상을 종교적인 관점에서 설명할 수 있다고 주장하고 싶어.
고향과 양친의 '종교적 분위기'가 자녀에게 영향을 끼치고
종교적 분위기
그 영향이 자손들의 직업선택과 미래의 직업활동을 결정한다고 말이야.
한마디로 종교 특성에 따라 '실업계'를 선택할지 '인문계'를 선택할지 결정한다 이거야.
실업계
인문계
더 확실한 예를 들어볼게.
대체로 소수민족이나 종교인들은 다수의 억압을 받아 정치활동을 하기 힘들어.
때문에 돈 버는 것에 엄청난 관심을 가지지.
폴란드는 18세기에 국력이 약해져 여러 나라에 분할되어 점령당했어.
그리고 20세기 초에 독립했지.
프랑스의 칼뱅주의자인 위그노*들은 소수종파로 다수세력인 가톨릭에 의해 학살당했고
성공회를 국교로 채택한 영국은 청교도와 퀘이커 교도를 핍박했어.
우리는 자유를 찾아 미국으로 이주했지.

* 위그노 Huguenot – 16세기에서 17세기 칼뱅파의 신교도.

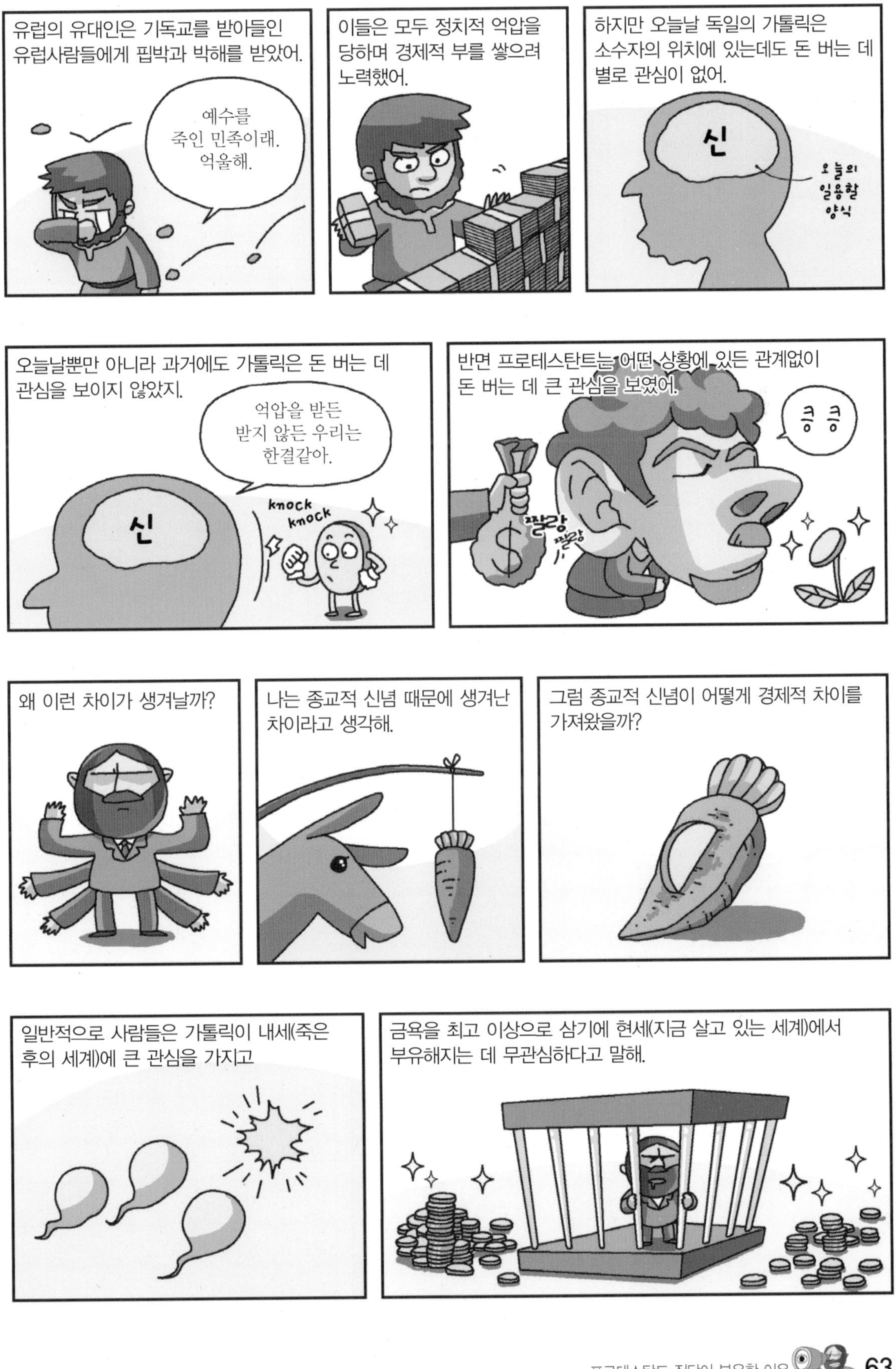
유럽의 유대인은 기독교를 받아들인 유럽사람들에게 핍박과 박해를 받았어.
예수를 죽인 민족이래. 억울해.
이들은 모두 정치적 억압을 당하며 경제적 부를 쌓으려 노력했어.
하지만 오늘날 독일의 가톨릭은 소수자의 위치에 있는데도 돈 버는 데 별로 관심이 없어.
신
오늘의 일용할 양식
오늘날뿐만 아니라 과거에도 가톨릭은 돈 버는 데 관심을 보이지 않았지.
억압을 받든 받지 않든 우리는 한결같아.
신
knock knock
반면 프로테스탄트는 어떤 상황에 있든 관계없이 돈 버는 데 큰 관심을 보였어.
킁 킁
짤랑 짤랑
왜 이런 차이가 생겨날까?
나는 종교적 신념 때문에 생겨난 차이라고 생각해.
그럼 종교적 신념이 어떻게 경제적 차이를 가져왔을까?
일반적으로 사람들은 가톨릭이 내세(죽은 후의 세계)에 큰 관심을 가지고
금욕을 최고 이상으로 삼기에 현세(지금 살고 있는 세계)에서 부유해지는 데 무관심하다고 말해.

그만큼 가톨릭 신자는 평온하고 물질에 대한 욕망이 적어.
"잘 먹든지 잘 자든지."라는 속담이 있는데
프로테스탄트는 이런 가톨릭을 지나치게 금욕적이라 비판했고
가톨릭은 잘 자는 걸 선호하고
가톨릭은 프로테스탄트가 물질에 대한 욕심이 많다고 비판했어.
프로테스탄트는 잘 먹는 걸 선호한다고 해.
그러나 오늘날의 독일 프로테스탄트들이 잘 먹는 데 관심을 가지고 있다는 건 어느 정도 맞을지는 모르지만
과거에는 전혀 그렇지 않았어.
매우 금욕적이었지.
욕망
영국, 네덜란드, 미국의 청교도들은 오늘날과 정반대로 열심히 일해 돈을 벌고 절약하는 생활을 해왔어.
옥수수:2,000원
식빵:3,000원
스프:1,000원
가계부
그것이 이 책의 연구에 가장 중요한 점이야.
프로테스탄트의 과거
프랑스의 프로테스탄트들은 청교도의 금욕적 특징을 오랫동안 보존해 왔고
금욕적 특징
오늘날에도 보존하고 있어.
금욕적 특징
프랑스의 산업이 발전하는 데 이들이 매우 큰 역할을 했어.

이러한 금욕적 태도는 내세에서 구원받으려는 종교적 관심과 깊은 관련이 있어.
종교적 관심이 금욕적 태도와 어떻게 관련되어 있는지는 다음 장에서 설명하도록 할게.
이런 점에서 프랑스의 칼뱅주의자들은 오늘날에도 가톨릭 못지 않게 내세적이야.
가톨릭
칼뱅주의
따라서 가톨릭은 내세에 관심이 있고
이것도 아니고,
프로테스탄트는 물질적 욕망을 추구한다는 식의 견해는 타당하지 않아.
이것도 아니야.
루터, 칼뱅 등의 초기 프로테스탄트 선조들은 물질적인 것에 큰 가치를 두는 생활에 심한 적대감을 드러냈어.
우리가 프로테스탄트 윤리와 자본주의 문화 사이에 어떤 정신적 연관성을 찾는다면
오늘날이 아니라 초기 프로테스탄트의 순수한 종교적 특성에서 찾아야 해.
프로테스탄트의 순수한 종교적 특성
몽테스키외*는 《법의 정신》에서 영국인들이 신앙심, 상업, 자유에서 다른 민족을 능가한다고 말했지.
나는 이것이 청교도 신앙과 관련이 많다고 생각해.

*몽테스키외 Montesquieu 1689~1755
– 프랑스의 계몽사상가, 정치철학자.

앞으로 우리는 프로테스탄트의 종교적 특성이 근대 자본주의 문화에 어떤 영향을 끼쳤는지 살펴볼 거야.
후~
이에 앞서 자본주의 정신이 무엇인지 자세히 알아야겠지?
자본주의 정신

제4장 자본주의 정신

자본주의 정신은 무엇을 의미하는 걸까?
이걸 설명하는 건 쉽지 않은 일이야.
?
프랭클린*이라는 사람을 아니?

*프랭클린 Benjamin Franklin 1706~1790
– 미국의 정치가, 과학자.

그는 미국 건국의 아버지들 중 한 명으로
실용주의 정신을 가진 전형적인 미국인이야.
갑자기 그를 소개하는 이유가 뭐냐고?
그가 쓴 글이 자본주의 정신을 잘 나타내고 있기 때문이야.

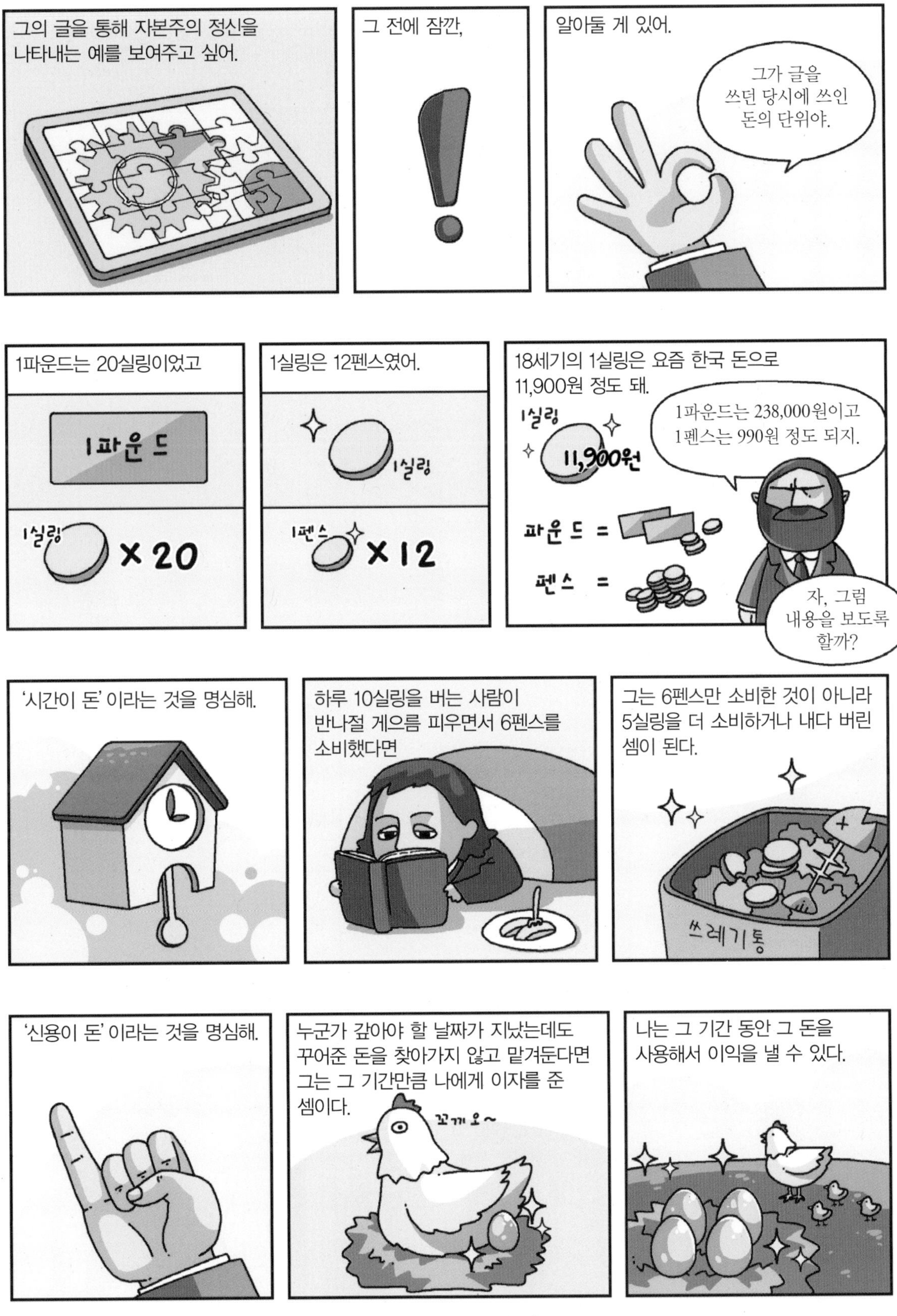

그의 글을 통해 자본주의 정신을 나타내는 예를 보여주고 싶어.
그 전에 잠깐,
알아둘 게 있어.
그가 글을 쓰던 당시에 쓰인 돈의 단위야.
1파운드는 20실링이었고
1파운드
1실링
×20
1실링은 12펜스였어.
1실링
1펜스
×12
18세기의 1실링은 요즘 한국 돈으로 11,900원 정도 돼.
1실링
11,900원
1파운드는 238,000원이고 1펜스는 990원 정도 되지.
파운드 =
펜스 =
자, 그럼 내용을 보도록 할까?
'시간이 돈'이라는 것을 명심해.
하루 10실링을 버는 사람이 반나절 게으름 피우면서 6펜스를 소비했다면
그는 6펜스만 소비한 것이 아니라 5실링을 더 소비하거나 내다 버린 셈이 된다.
쓰레기통
'신용이 돈'이라는 것을 명심해.
누군가 갚아야 할 날짜가 지났는데도 꾸어준 돈을 찾아가지 않고 맡겨둔다면 그는 그 기간만큼 나에게 이자를 준 셈이다.
꼬끼오~
나는 그 기간 동안 그 돈을 사용해서 이익을 낼 수 있다.

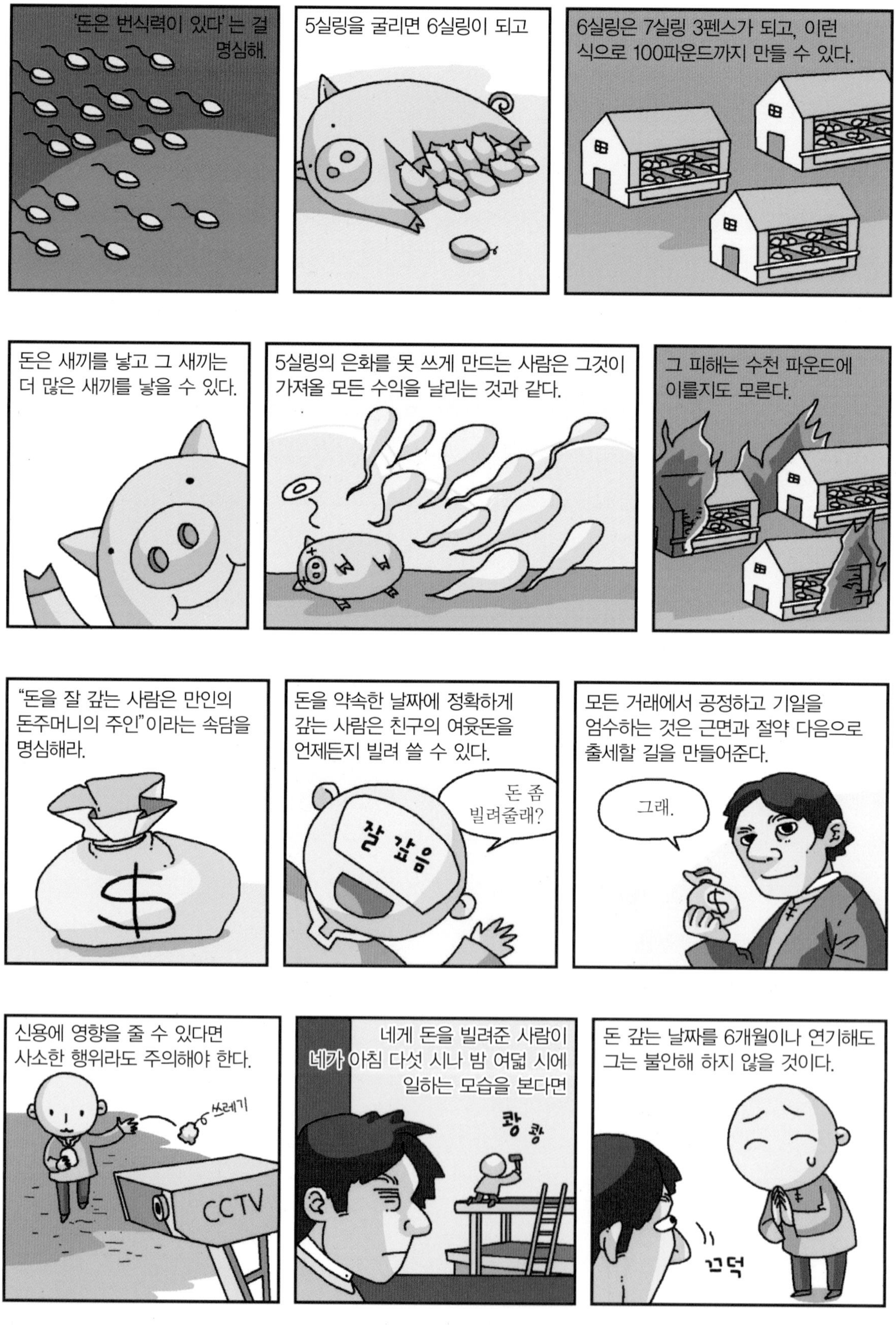
'돈은 번식력이 있다'는 걸 명심해.
5실링을 굴리면 6실링이 되고
6실링은 7실링 3펜스가 되고, 이런 식으로 100파운드까지 만들 수 있다.
돈은 새끼를 낳고 그 새끼는 더 많은 새끼를 낳을 수 있다.
5실링의 은화를 못 쓰게 만드는 사람은 그것이 가져올 모든 수익을 날리는 것과 같다.
그 피해는 수천 파운드에 이를지도 모른다.
"돈을 잘 갚는 사람은 만인의 돈주머니의 주인"이라는 속담을 명심해라.
돈을 약속한 날짜에 정확하게 갚는 사람은 친구의 여윳돈을 언제든지 빌려 쓸 수 있다.
잘 갚음
돈 좀 빌려줄래?
모든 거래에서 공정하고 기일을 엄수하는 것은 근면과 절약 다음으로 출세할 길을 만들어준다.
그래.
신용에 영향을 줄 수 있다면 사소한 행위라도 주의해야 한다.
쓰레기
CCTV
네게 돈을 빌려준 사람이 네가 아침 다섯 시나 밤 여덟 시에 일하는 모습을 본다면
쾅 쾅
돈 갚는 날짜를 6개월이나 연기해도 그는 불안해 하지 않을 것이다.
끄덕

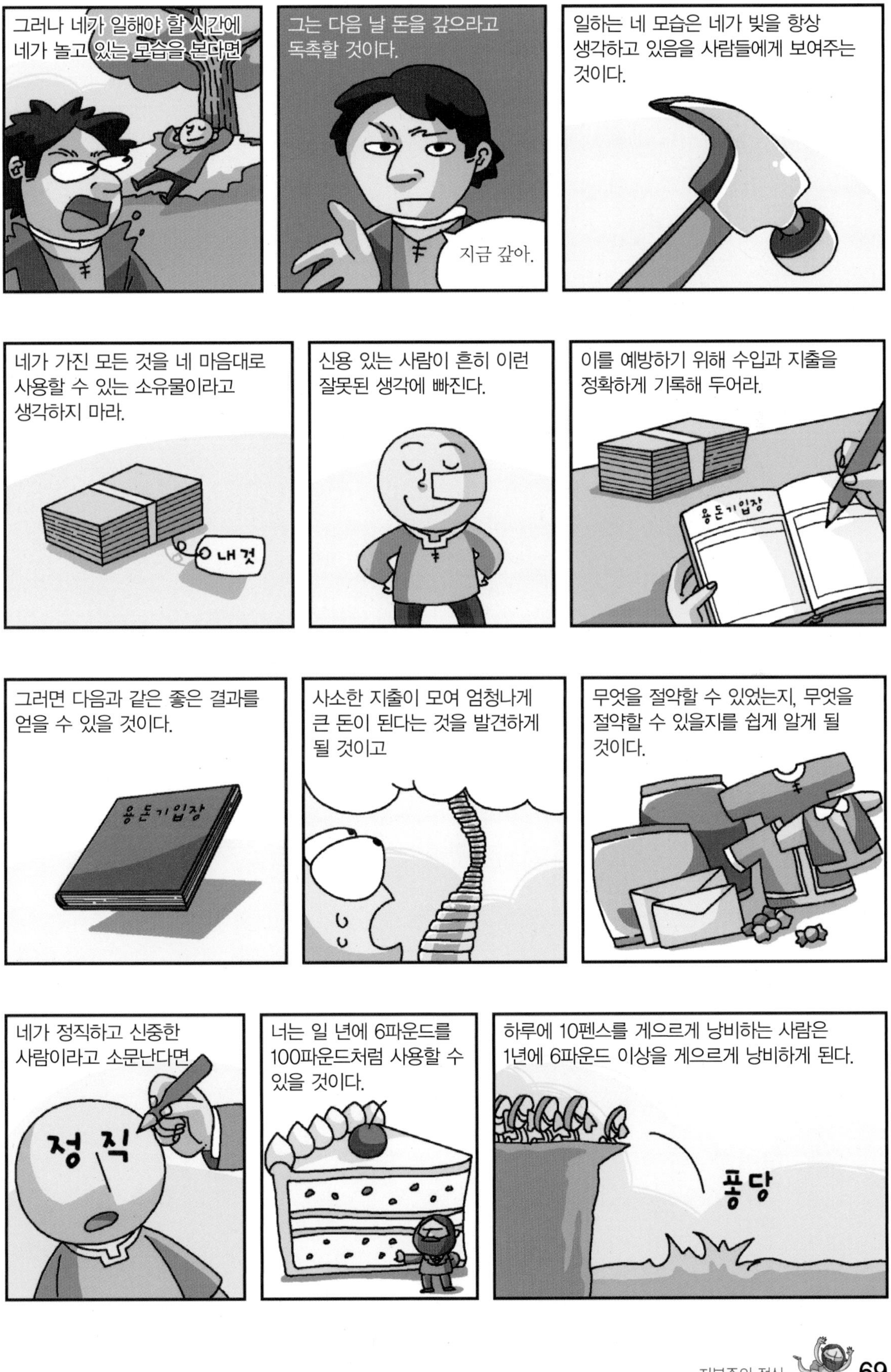
그러나 네가 일해야 할 시간에 네가 놀고 있는 모습을 본다면
그는 다음 날 돈을 갚으라고 독촉할 것이다.
지금 갚아.
일하는 네 모습은 네가 빚을 항상 생각하고 있음을 사람들에게 보여주는 것이다.
네가 가진 모든 것을 네 마음대로 사용할 수 있는 소유물이라고 생각하지 마라.
내것
신용 있는 사람이 흔히 이런 잘못된 생각에 빠진다.
이를 예방하기 위해 수입과 지출을 정확하게 기록해 두어라.
용돈기입장
그러면 다음과 같은 좋은 결과를 얻을 수 있을 것이다.
용돈기입장
사소한 지출이 모여 엄청나게 큰 돈이 된다는 것을 발견하게 될 것이고
무엇을 절약할 수 있었는지, 무엇을 절약할 수 있을지를 쉽게 알게 될 것이다.
네가 정직하고 신중한 사람이라고 소문난다면
정직
너는 일 년에 6파운드를 100파운드처럼 사용할 수 있을 것이다.
하루에 10펜스를 게으르게 낭비하는 사람은 1년에 6파운드 이상을 게으르게 낭비하게 된다.
퐁당

이것은 100파운드를 이용할 수 있는 기회를 날려 버리는 것이다.
날마다 10펜스의 시간을 낭비하는 사람은 얼마 안 가 하루를 허비하는 셈이 되며,
그것을 합하면 100파운드를 사용하는 기회를 허비하는 것이 된다.
5실링의 시간을 허비하는 사람은 5실링을 잃어버리는 것과 같으며
그것을 거래에 사용해서 벌 수 있는 모든 이익을 잃는 것과 같다.
젊은이가 늙은이가 될 때까지를 생각한다면 그것은 상당할 것이다.
프랭클린의 이 글은 자본주의 정신의 기본 특징을 잘 나타내고 있어.
신용이 좋은 정직한 사람을 '이상적인 인간'으로 여기고 있지.
이상적인 인간
신용있음
정직한 사람
'이상적인 인간'은 자본을 증가시키는 것을 의무로 여기고
삶의 목적 자체로 삼는 인간이야.
삶의 목적
이 글이 나타내는 것은 세상에서 출세하는 단순한 처세술이 아니라 독특한 윤리야.
정직
근면
성실
신용
돈벌이
바로 이 점이 중요해.
성실
신용
돈벌이
근면

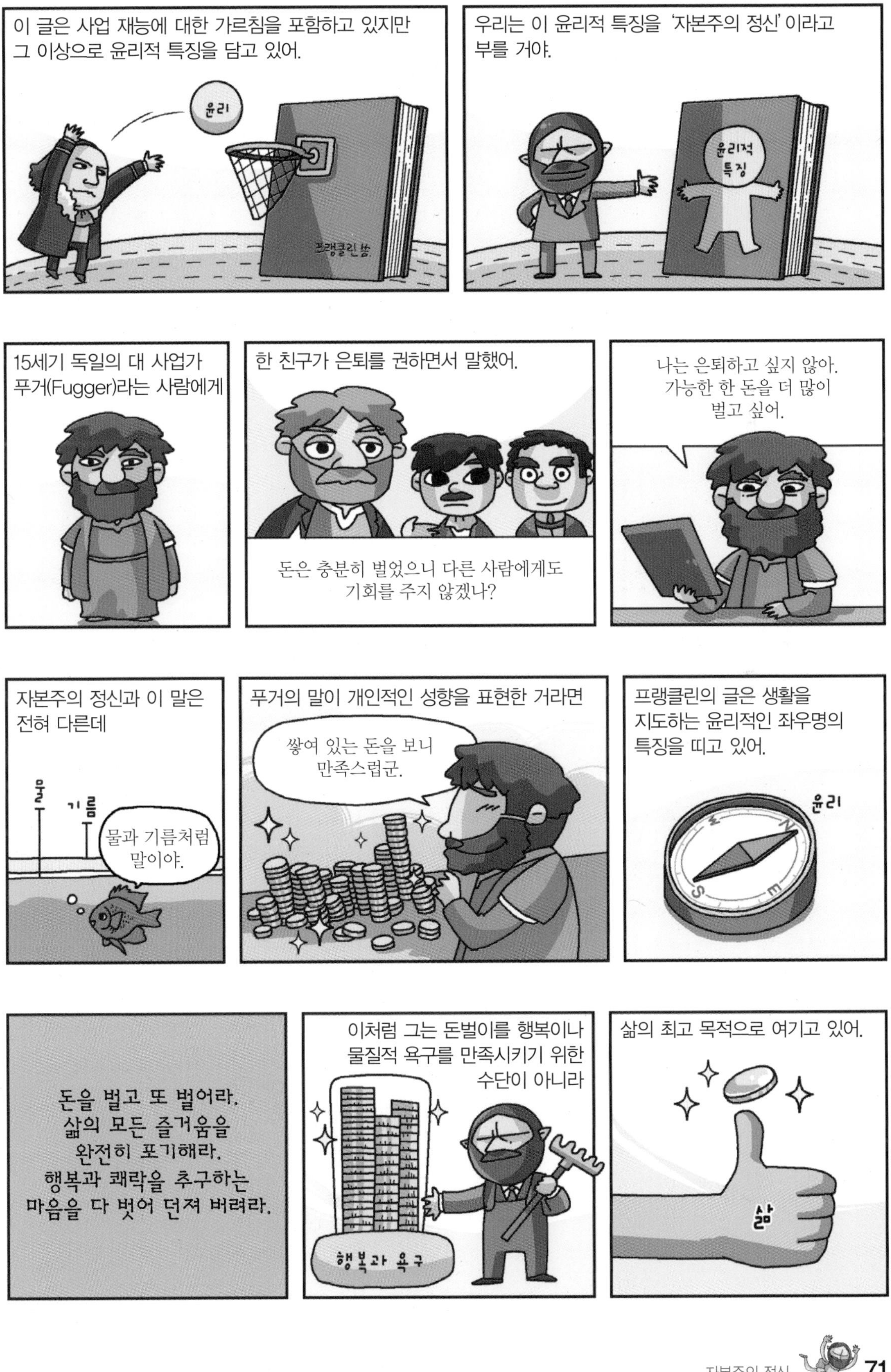

이 글은 사업 재능에 대한 가르침을 포함하고 있지만 그 이상으로 윤리적 특징을 담고 있어.
윤리
프랭클린 씀.
우리는 이 윤리적 특징을 '자본주의 정신'이라고 부를 거야.
윤리적 특징
15세기 독일의 대 사업가 푸거(Fugger)라는 사람에게
한 친구가 은퇴를 권하면서 말했어.
돈은 충분히 벌었으니 다른 사람에게도 기회를 주지 않겠나?
나는 은퇴하고 싶지 않아. 가능한 한 돈을 더 많이 벌고 싶어.
자본주의 정신과 이 말은 전혀 다른데
물
기름
물과 기름처럼 말이야.
푸거의 말이 개인적인 성향을 표현한 거라면
쌓여 있는 돈을 보니 만족스럽군.
프랭클린의 글은 생활을 지도하는 윤리적인 좌우명의 특징을 띠고 있어.
윤리
돈을 벌고 또 벌어라. 삶의 모든 즐거움을 완전히 포기해라. 행복과 쾌락을 추구하는 마음을 다 벗어 던져 버려라.
이처럼 그는 돈벌이를 행복이나 물질적 욕구를 만족시키기 위한 수단이 아니라
행복과 욕구
삶의 최고 목적으로 여기고 있어.
삶

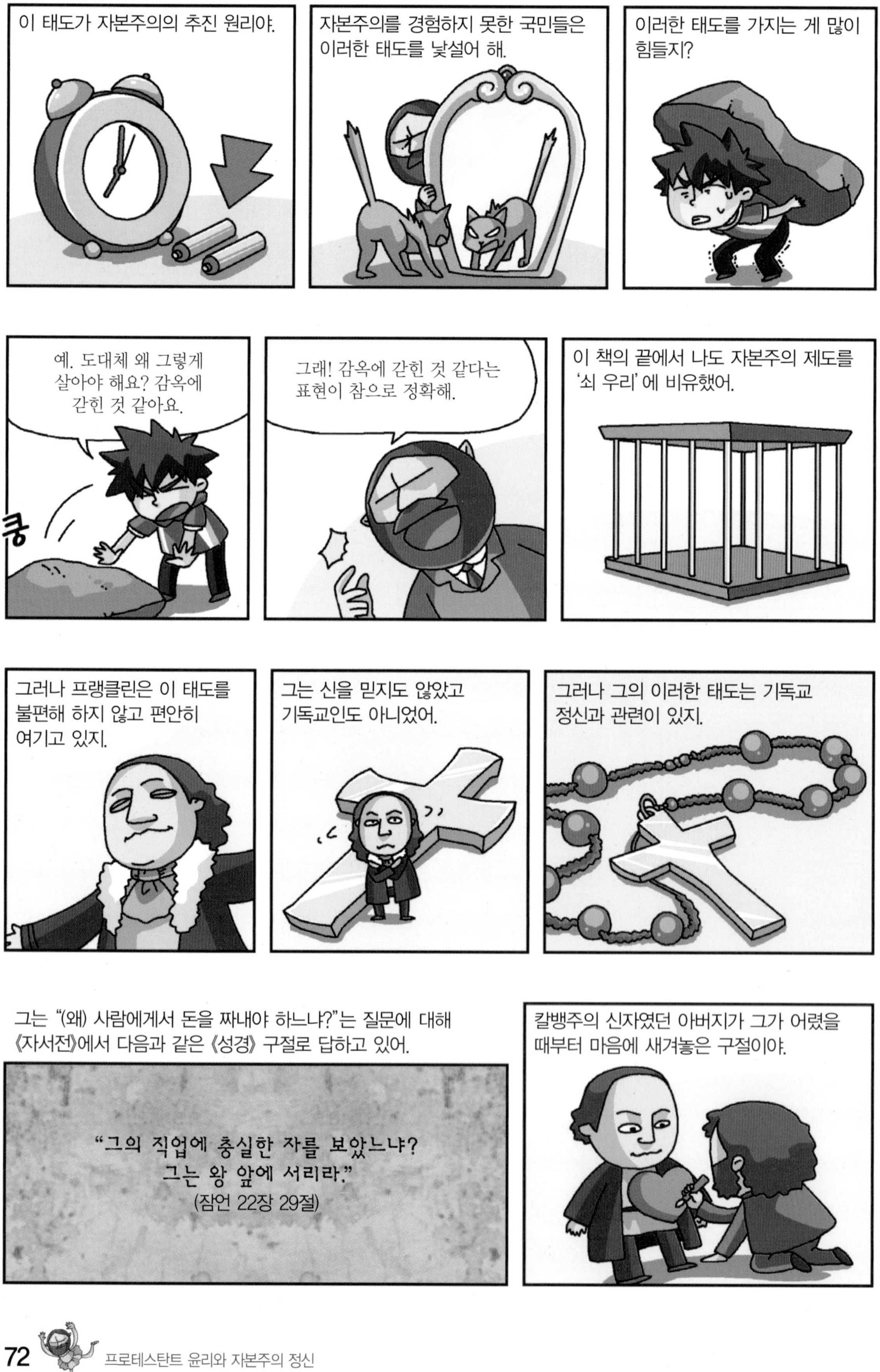
이 태도가 자본주의의 추진 원리야.
자본주의를 경험하지 못한 국민들은 이러한 태도를 낯설어 해.
이러한 태도를 가지는 게 많이 힘들지?
예. 도대체 왜 그렇게 살아야 해요? 감옥에 갇힌 것 같아요.
쿵
그래! 감옥에 갇힌 것 같다는 표현이 참으로 정확해.
이 책의 끝에서 나도 자본주의 제도를 '쇠 우리'에 비유했어.
그러나 프랭클린은 이 태도를 불편해 하지 않고 편안히 여기고 있지.
그는 신을 믿지도 않았고 기독교인도 아니었어.
그러나 그의 이러한 태도는 기독교 정신과 관련이 있지.
그는 "(왜) 사람에게서 돈을 짜내야 하느냐?"는 질문에 대해 《자서전》에서 다음과 같은 《성경》 구절로 답하고 있어.
"그의 직업에 충실한 자를 보았느냐? 그는 왕 앞에 서리라."
(잠언 22장 29절)
칼뱅주의 신자였던 아버지가 그가 어렸을 때부터 마음에 새겨놓은 구절이야.

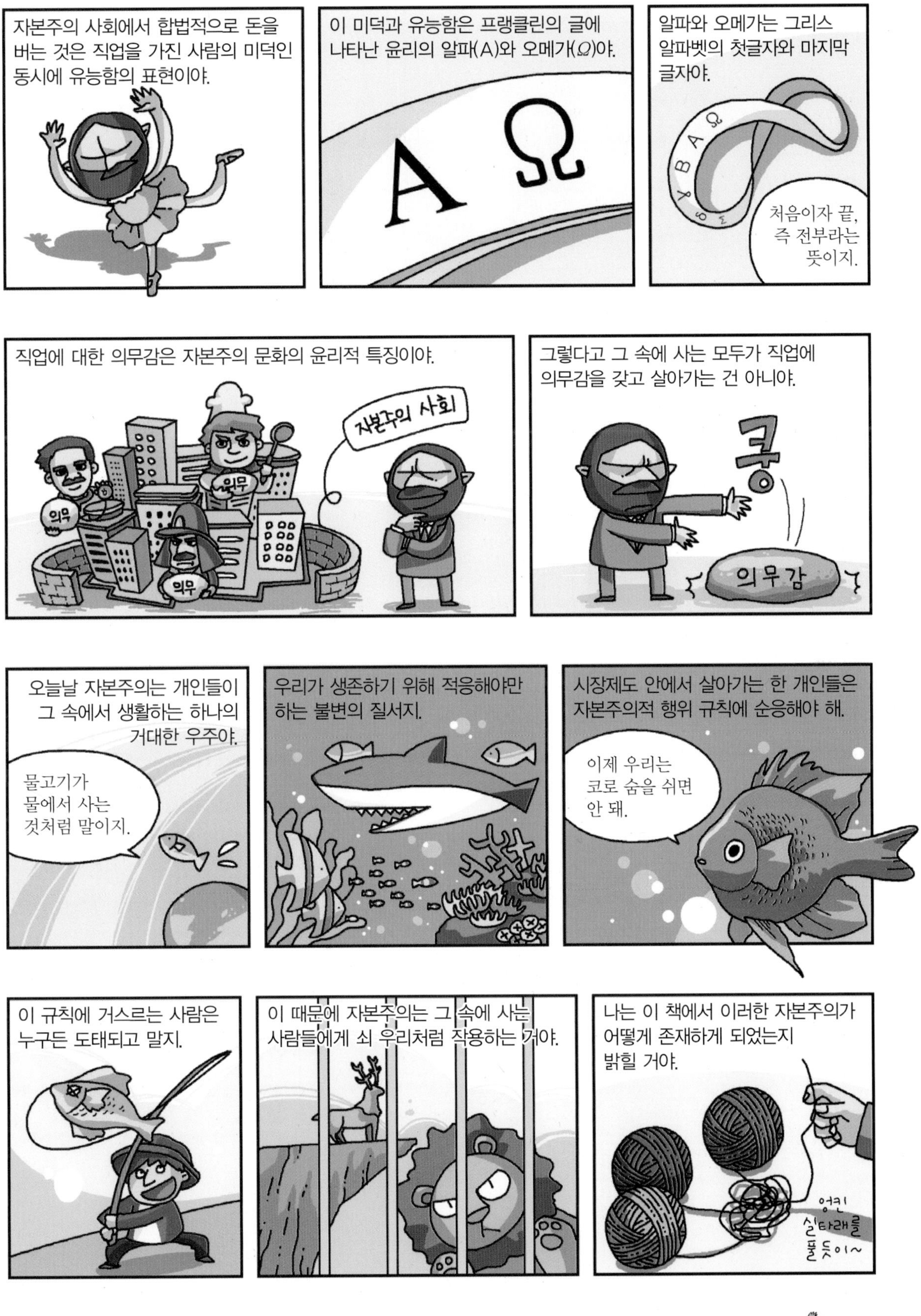
자본주의 사회에서 합법적으로 돈을 버는 것은 직업을 가진 사람의 미덕인 동시에 유능함의 표현이야.
이 미덕과 유능함은 프랭클린의 글에 나타난 윤리의 알파(A)와 오메가(Ω)야.
A Ω
알파와 오메가는 그리스 알파벳의 첫글자와 마지막 글자야.
처음이자 끝, 즉 전부라는 뜻이지.
직업에 대한 의무감은 자본주의 문화의 윤리적 특징이야.
자본주의 사회
의무
의무
의무
그렇다고 그 속에 사는 모두가 직업에 의무감을 갖고 살아가는 건 아니야.
쿵
의무감
오늘날 자본주의는 개인들이 그 속에서 생활하는 하나의 거대한 우주야.
물고기가 물에서 사는 것처럼 말이지.
우리가 생존하기 위해 적응해야만 하는 불변의 질서지.
시장제도 안에서 살아가는 한 개인들은 자본주의적 행위 규칙에 순응해야 해.
이제 우리는 코로 숨을 쉬면 안 돼.
이 규칙에 거스르는 사람은 누구든 도태되고 말지.
이 때문에 자본주의는 그 속에 사는 사람들에게 쇠 우리처럼 작용하는 거야.
나는 이 책에서 이러한 자본주의가 어떻게 존재하게 되었는지 밝힐 거야.
엉킨 실타래를 풀듯이~

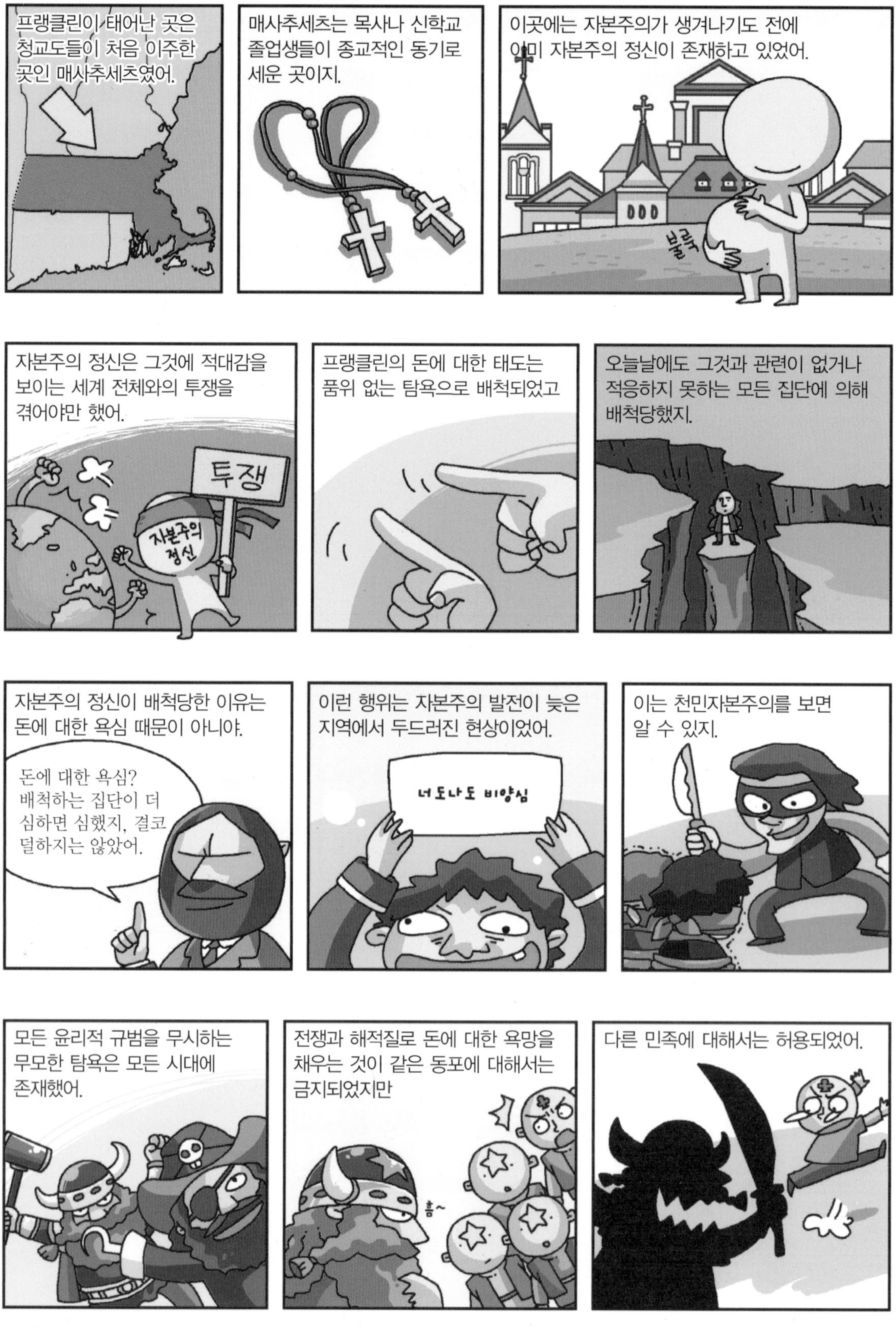
프랭클린이 태어난 곳은
청교도들이 처음 이주한
곳인 매사추세츠였어.
매사추세츠는 목사나 신학교
졸업생들이 종교적인 동기로
세운 곳이지.
이곳에는 자본주의가 생겨나기도 전에
이미 자본주의 정신이 존재하고 있었어.
불룩
자본주의 정신은 그것에 적대감을
보이는 세계 전체와의 투쟁을
겪어야만 했어.
투쟁
자본주의 정신
프랭클린의 돈에 대한 태도는
품위 없는 탐욕으로 배척되었고
오늘날에도 그것과 관련이 없거나
적응하지 못하는 모든 집단에 의해
배척당했지.
자본주의 정신이 배척당한 이유는
돈에 대한 욕심 때문이 아니야.
돈에 대한 욕심? 배척하는 집단이 더 심하면 심했지, 결코 덜하지는 않았어.
이런 행위는 자본주의 발전이 늦은
지역에서 두드러진 현상이었어.
너도나도 비양심
이는 천민자본주의를 보면
알 수 있지.
모든 윤리적 규범을 무시하는
무모한 탐욕은 모든 시대에
존재했어.
전쟁과 해적질로 돈에 대한 욕망을
채우는 것이 같은 동포에 대해서는
금지되었지만
흠~
다른 민족에 대해서는 허용되었어.

자본주의 이전 시대에는 이런 비윤리적 금전 추구가 관습적으로 당연한 거였지.
이를 전통주의라고 하지.
전통주의야말로 자본주의의 발전을 막는 가장 강력한 장애물 중 하나야.
전통주의가 무엇을 의미하는지 몇 가지 사례를 들어 설명할게.
혹시 '성과급'이라는 게 뭔지 알아?
일하는 만큼 돈을 더 주는 것을 말해.
오늘은 주문이 많군. 떡을 더 많이 만들어야겠어.
하루에 5만 원 주고 여덟 시간 일 시키는 공장주인
어떻게 해야 의욕을 심어줄 수 있을까?
그렇지!
다음 날 공장주인은 성과급을 제안했어.
'떡 5킬로그램을 만드는 데 보통 한 시간 정도 걸립니다.
떡 5킬로그램을 만들면 1만 원을 주겠습니다.
10000

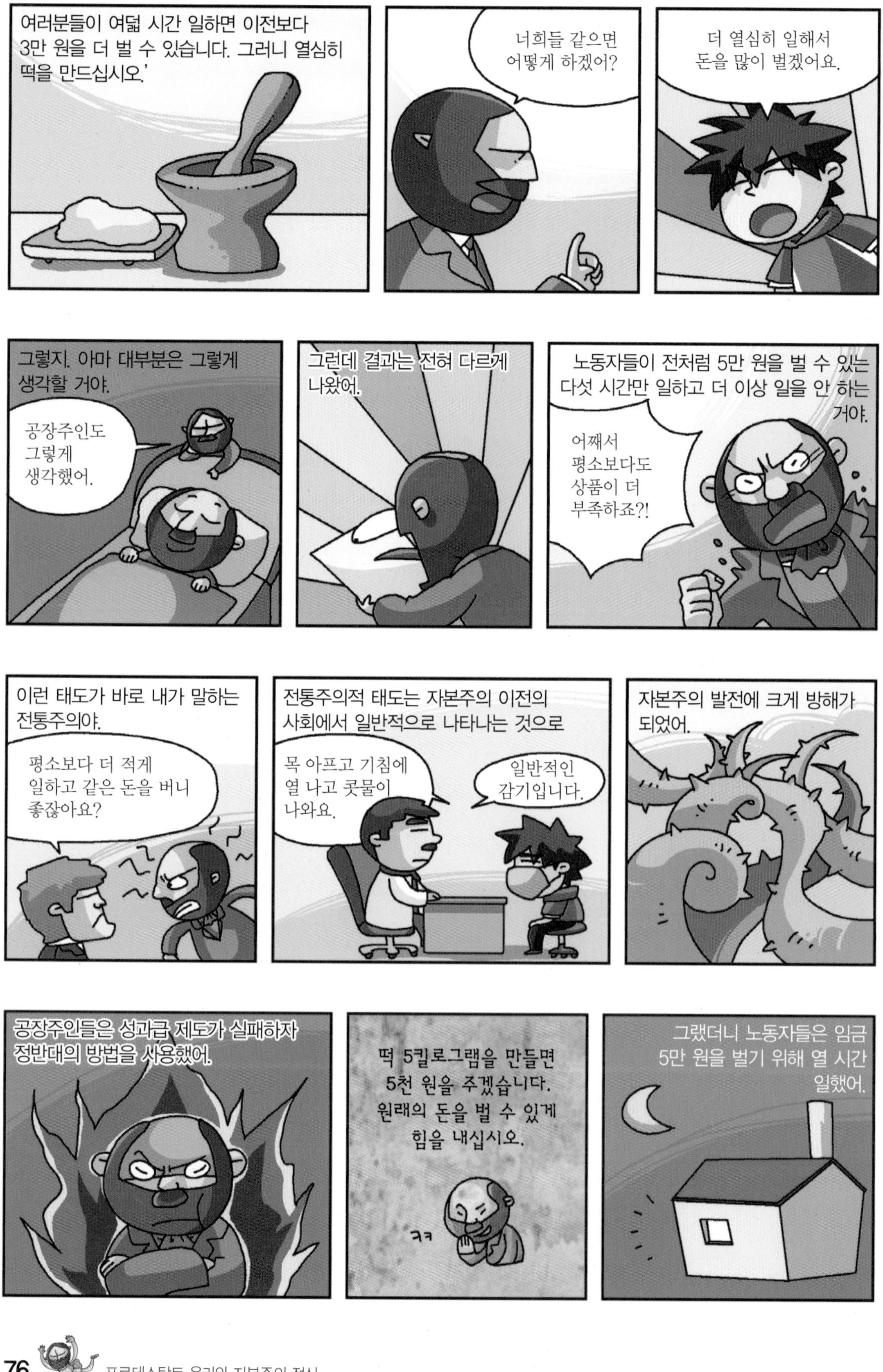
여러분들이 여덟 시간 일하면 이전보다 3만 원을 더 벌 수 있습니다. 그러니 열심히 떡을 만드십시오.'
너희들 같으면 어떻게 하겠어?
더 열심히 일해서 돈을 많이 벌겠어요.
그렇지. 아마 대부분은 그렇게 생각할 거야.
공장주인도 그렇게 생각했어.
그런데 결과는 전혀 다르게 나왔어.
노동자들이 전처럼 5만 원을 벌 수 있는 다섯 시간만 일하고 더 이상 일을 안 하는 거야.
어째서 평소보다도 상품이 더 부족하죠?!
이런 태도가 바로 내가 말하는 전통주의야.
평소보다 더 적게 일하고 같은 돈을 버니 좋잖아요?
전통주의적 태도는 자본주의 이전의 사회에서 일반적으로 나타나는 것으로
목 아프고 기침에 열 나고 콧물이 나와요.
일반적인 감기입니다.
자본주의 발전에 크게 방해가 되었어.
공장주인들은 성과급 제도가 실패하자 정반대의 방법을 사용했어.
떡 5킬로그램을 만들면 5천 원을 주겠습니다. 원래의 돈을 벌 수 있게 힘을 내십시오.
ㅋㅋ
그랬더니 노동자들은 임금 5만 원을 벌기 위해 열 시간 일했어.

그 결과 생산성이 향상되었지.
오!
저임금이 더 생산적이군.
자본주의 초기에 '저임금이 생산적'이라는 말이 나온 것도 이 전통주의적 태도 때문이야.
그러나 저임금 방식으로는 노동을 집약적으로 사용하는 경영방식을 도입하기 힘들어.
싸구려 노동에는 이런 저임금 방식이 통하겠지만
고도의 창의력과 집중력을 필요로 하는 숙련노동, 전문적인 노동에는 실패하고 말아.
이런 일에는 편하고 적게 일해 정해진 임금을 받을까 하는 생각이 아니라
꿀꺽 꿀꺽
강한 책임감과 함께 그 일 자체를 절대적인 목적으로 삼는 태도가 필요해.
목표
이런 태도를 소명(召命, calling)이라고 불러.
조명이 아니고,
이런 태도는 그냥 저절로 주어지는 게 아니야.
임금에 따라 생겨나는 것도 아니지.
오직 계속적인 힘든 교육을 통해서만 가능해.
'소명'
소명에 대해서는 이 책 5장에서 자세히 설명할게.

자신의 일을 소명으로 여기는 태도는
사고의 집중력,
사고력
자신의 일에 대한 깊은 의무감,
얼마나 높은 임금을 받을 수 있는지를 계산하는 엄격한 경제관념,
냉정한 자기 통제와 검소한 생활을 포함하지.
이런 태도는 전통주의를 극복하는 최선의 방법이야.
지금까지는 노동자들 속에 나타난 전통주의를 찾아보았어.
전통주의
이제 기업가들 속에 나타난 전통주의를 살펴볼까?
전통주의
좀바르트*라는 나와 같은 시대의 학자가 있어.
그는 인간의 경제적 동기를 크게 두 가지로 나눴지.
하나는 욕구충족 동기이고
하나는 이익추구 동기야.

*좀바르트 Werner Sombart 1863~1941
– 독일의 경제학자이자 사회학자.

욕구충족 동기는 어느 정도 물질적 욕구가 충족되면
욕구
노동을 하지 않고 휴식, 취미활동, 동호회활동 등으로 시간을 보내는 태도를 말해.
돈이 모였으니 이제는 좀 즐기면서 살아야겠다!
히익
무슨 소리야? 계속 일해야지!
살기 위해 일하지, 일하기 위해 사는 게 아니잖아요?
나는 목숨이 붙어 있는 한 계속 일할 건데?
인간은 일하기 위해 사는 존재야!
돈벌레도 아니고….
이에 반해 이익추구 동기는 자본을 더 불리기 위해 끝없이 노동하는 태도를 말하지.
나처럼 일합시다, 일~.
난 돈벌레~
이런 구별을 따르면
욕구
이익
욕구충족 동기에 따라 운영되는 경제가 있고
욕구
이익추구 동기에 따라 운영되는 경제가 있어.
이익
욕구충족 동기에 따라 운영되는 경제가 내가 말하는 전통주의와 같은 개념이야.
외관상 자본주의의 모습을 띠고 있다 하더라도 욕구충족의 동기에 따라 운영된다면
이것은 전통주의적인 것으로 규정할 수 있어.

자본주의는 끊임없는 이익추구를 좋은 것으로 간주해.
이익추구
자본주의 정신은 자본주의 기업을 운영하는 데 가장 적합한 방법을 제공했고
소프트웨어
자본주의 기업은 자본주의 정신을 뒷받침하는 가장 적합한 조직을 제공했어.
하드웨어
자본주의 정신과 자본주의 기업은 찰떡궁합이라 이거지!
은행
자본주의 정신
자본주의 기업
그러나 이 둘은 서로 분리되어 따로 놀 수가 있어.
하드웨어
소프트웨어
자본주의 기업이 전통주의 정신에 따라 운영될 수도 있고, 자본주의 이전의 수공업이 자본주의 정신에 따라 운영될 수도 있다는 말이야.
자본주의 기업
전통주의 정신
찰싹
찰싹
수공업
자본주의 정신
프랭클린은 인쇄업을 하고 있었는데
이것은 자본주의 기업이라기보다는 수공업에 훨씬 더 가까운 것이었어.
쾅
쾅
그래도 그는 인쇄업을 자본주의 정신에 따라 운영했어.
자본주의 정신
반면 프랭클린 시대에도 그랬고 지금도 그렇지만
은행업, 수출업, 대규모 소매업 등은 자본주의 기업의 형태를 가지고 있지만
전통주의 정신에 따라 운영될 수 있어.
전통주의 정신

역사적으로 볼 때 자본주의 정신을 가지고 있었던 사람은
자본주의 정신
물려받은 재산이 많은 상업 귀족가문의 큰 기업이 아니라
경제적으로 잘살려고 노력했던 중간계층의 사람들이었어.
이들은 상당한 재산을 모은 후에도 사치하며 편안한 생활을 한 게 아니라
비정할 정도로 자신을 엄격하게 몰아붙이며 재산을 불려 나갔어.
쌔앵
전통주의 정신을 가진 기업가는 경쟁상대가 되지 못해 몰락할 수밖에 없었지.
자본주의 정신은 경제를 추진하는 근본적인 힘이 되어 전통사회에 변화를 일으켰어.
툭
자본주의 정신
하지만 자본주의 정신이 보급되는 과정이 순탄하지는 않았어.
지뢰밭
지독한 놈!
돈벌레!
난 저렇게는 못 살아요!
저놈들은 사람이 아니야!

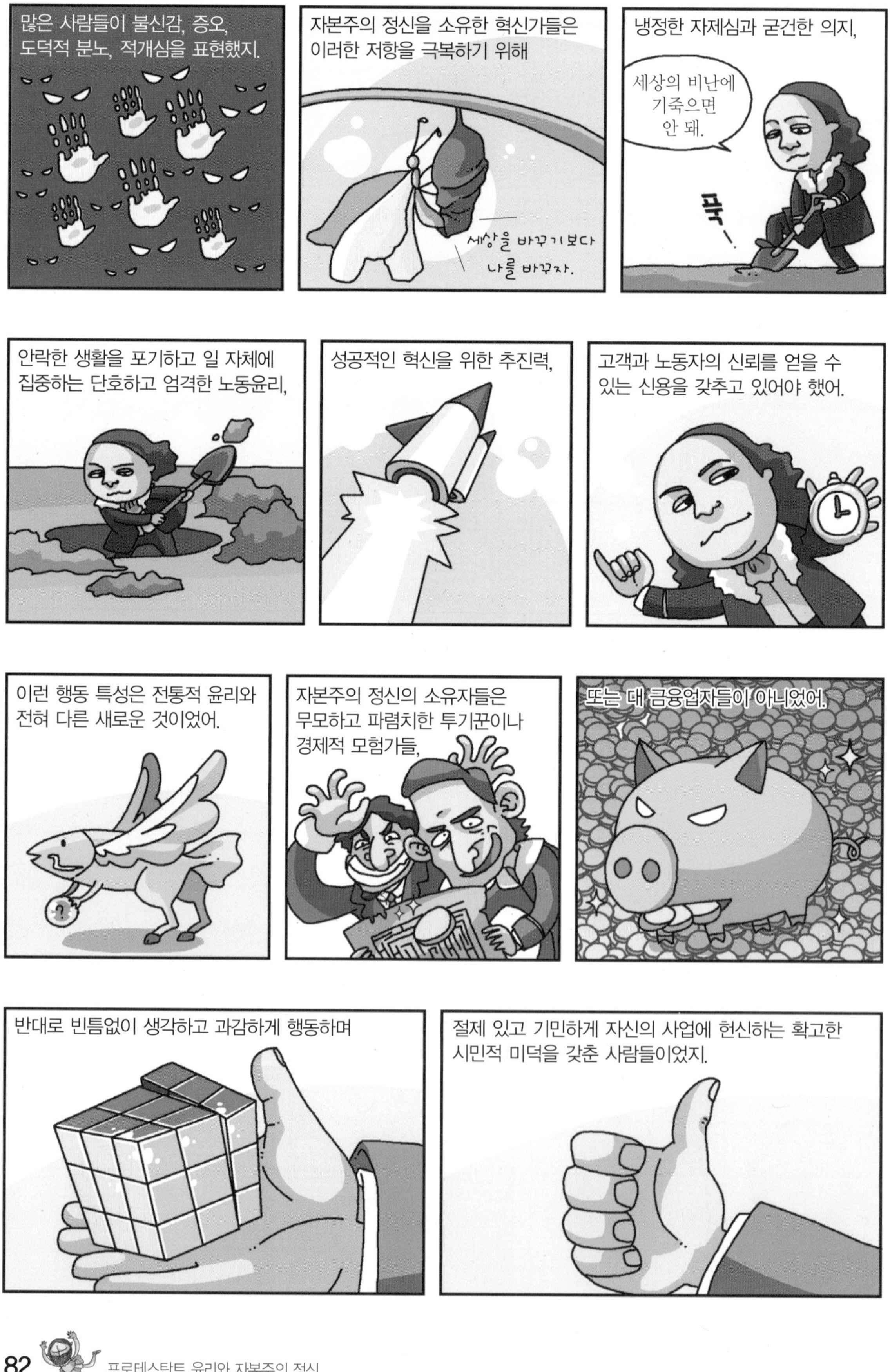
많은 사람들이 불신감, 증오,
도덕적 분노, 적개심을 표현했지.
자본주의 정신을 소유한 혁신가들은
이러한 저항을 극복하기 위해
세상을 바꾸기보다
나를 바꾸자.
냉정한 자제심과 굳건한 의지,
세상의 비난에
기죽으면
안 돼.
푹
안락한 생활을 포기하고 일 자체에
집중하는 단호하고 엄격한 노동윤리,
성공적인 혁신을 위한 추진력,
고객과 노동자의 신뢰를 얻을 수
있는 신용을 갖추고 있어야 했어.
이런 행동 특성은 전통적 윤리와
전혀 다른 새로운 것이었어.
자본주의 정신의 소유자들은
무모하고 파렴치한 투기꾼이나
경제적 모험가들,
또는 대 금융업자들이 아니었어.
반대로 빈틈없이 생각하고 과감하게 행동하며
절제 있고 기민하게 자신의 사업에 헌신하는 확고한
시민적 미덕을 갖춘 사람들이었지.

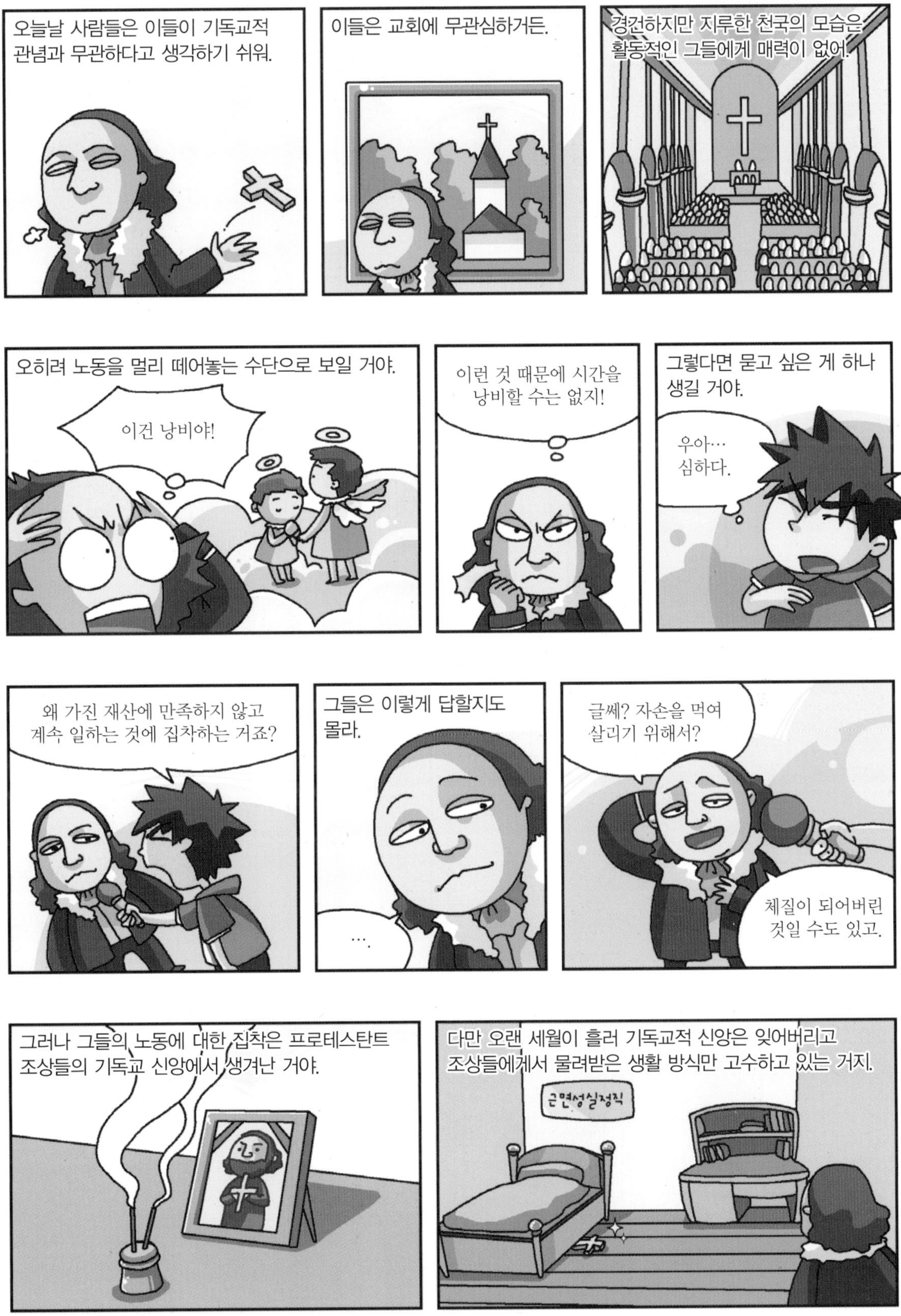
오늘날 사람들은 이들이 기독교적 관념과 무관하다고 생각하기 쉬워.
이들은 교회에 무관심하거든.
경건하지만 지루한 천국의 모습은 활동적인 그들에게 매력이 없어.
오히려 노동을 멀리 떼어놓는 수단으로 보일 거야.
이건 낭비야!
이런 것 때문에 시간을 낭비할 수는 없지!
그렇다면 묻고 싶은 게 하나 생길 거야.
우아… 심하다.
왜 가진 재산에 만족하지 않고 계속 일하는 것에 집착하는 거죠?
그들은 이렇게 답할지도 몰라.
….
글쎄? 자손을 먹여 살리기 위해서?
체질이 되어버린 것일 수도 있고.
그러나 그들의 노동에 대한 집착은 프로테스탄트 조상들의 기독교 신앙에서 생겨난 거야.
다만 오랜 세월이 흘러 기독교적 신앙은 잊어버리고 조상들에게서 물려받은 생활 방식만 고수하고 있는 거지.
근면성실정직

오늘날 독일의 벼락부자들은 재산으로 자신의 출신을 숨기려고 하는데
돈은 얼마든지 줄 테니 귀족의 작위를 주시오.
이것은 퇴폐적인 현상이야.
진정한 자본주의 기업가들은 이런 자들과 아무 관계가 없어.
그들은 허풍스러운 과시, 불필요한 부의 지출, 권력을 뽐내는 걸 꺼려 하고
오늘 회식이 있는데 오실래요?
아뇨, 할 일이 있어서….
누군가 그들을 인정하는 표시를 하면 오히려 부담스러워 해.
정말 열심히 일하시네요. 대단해요.
못 본 척 해주세요.
자신을 위해 부를 소비하지 않으며 오직 일하는 것에만 집중했지.
옷 정도는 사 입어도 될 텐데….
자본주의 제도에서 성공하기 위해서는 이익을 남겨 돈을 벌려고 하는 자본주의 정신이 꼭 필요해.
스윽
단순히 먹고사는 것에 만족하는 전통사회와는 달리
배 부르다.
자본주의는 더 많은 이익을 추구하는 것을 기본 특징으로 삼아.
레시피
맛있다.
이러한 자본주의의 특징에 적응하지 못하는 사람은 몰락할 수밖에 없어.

그러나 자본주의 이전의 사람들은 이런 금욕적 태도를 이해할 수 없었어.
자본주의 사회에 살고 있는 너희들도 좀 이상하게 보이지?
예. 이해가 안 되는 건 아니지만 저렇게 살기는 싫어요.
그래서 그들은 이런 금욕적 태도를 무가치한 것으로 여기고 경멸했어.
어디서 저런 독종들이 태어났을까 몰라.
가톨릭은 어쩔 수 없이 이익추구 활동을 눈감아 주었지만
꽃 사세요~.
본질적으로는 나쁜 것으로 여겼어.
주여, 용서하소서….
이자를 금지하는 가톨릭의 교리와 충돌하기 때문이었지.
원금
이자
그럼 부자가 죽은 뒤, 어떻게 하느냐?
역사적 자료에 따르면 이래.
부자가 죽었을 때는 상당한 액수의 돈이 속죄의 표시로 종교기관에 기부되고
때로는 부당하게 취한 이자라 하여 생전의 채무자들에게 되돌려 주었어.
중세 말기에 이르러 사람들은 자본주의적 기업을 불가피한 것으로 받아들였지.
후
이자를 금지하는 가톨릭 교리를 비판하는 새로운 사상가들이 나타난 거야.
그런데도 이들은 이익추구 행위를 윤리적으로 인정하지는 않았어.
떨떠름

이처럼 전통사회에서는 모든 지역의 모든 사람들이 이익추구를 나쁘게 여겼어.

장사하는 직업을 천시한 것도 이 때문이야.

장사하는 사람들은 항상 이익을 남기려 하거든.

그런데 프랭클린은 어떻게 해서 돈벌이를 훌륭한 직업윤리라고 주장할 수 있었을까?
직업윤리

14, 15세기 이탈리아와 18세기 미국을 비교해 보면 의아한 생각이 들어.

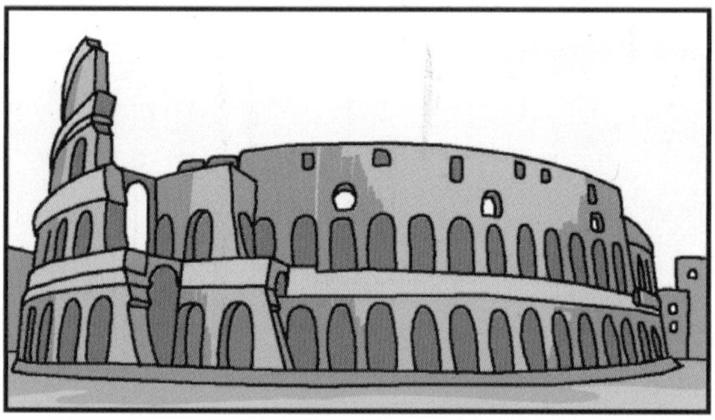

14, 15세기 이탈리아의 피렌체에는 정치권력자를 대상으로

화폐시장이나 자본시장이 크게 형성되어 있었어.
COIN
은행

정치자금을 빌리고 싶은데….
커흠

그래서 은행업이 발전했고
큰 은행도 많았어.
하지만 돈벌이를 윤리적으로 나쁜
것이라 생각했어.
눈감아 주긴 했지만 말이야.
가톨릭처럼요?
이와 달리 18세기 펜실베이니아는
미국 북동부의 작은 도시에 불과했는데
돈이 부족해 물물교환을
해야 할 처지에 있었어.
밀가루 3포대 바꿔요.
큰 은행은 찾아볼 수도 없었고
초기 형태의 은행 업무만 있었을
뿐이야.
은행
그런데 놀랍게도 이들은 이익추구 활동을
매우 중요한 도덕적 행위로 간주했고,
그런 방식으로 살도록 가르쳤어.
프랭클린의 글에 나타난
것처럼 말이야.
우리는 이것을 어떻게
설명할 수 있을까?
도대체 어떤 사상에서 이런
생활태도가 생겨난 걸까?
나는 다음 장에서 이것들을 추적할 거야.

제5장 루터의 직업 소명 개념

소명이란

'신의 부르심' 이라는 뜻이야.
이리 온~

기독교인들에게 신이 불렀다는 것은 매우 큰 의미가 있어.
기독교

직업을 소명으로 여긴 것은 종교개혁자 루터로부터 시작되었어.

루터가 《성경》을 독일어로 번역할 때 '직업' 이란 말을 Beruf로 표현한 거야.
직업
Beruf

Beruf는 영어 calling과 같은 것으로 '부르다' 라는 의미를 갖고 있어.

이건 루터의 매우 독창적인 생각이었어.
《성경》 안에는 직업을 소명으로 여기는 정신이 없어.
노동을 단순히 먹고사는 활동처럼 여겼고 이익을 추구하지 말도록 가르쳤지.
이익
노동
이익추구 활동은 하나님을 떠난 자들에게 맡겨두라는 식이야.
고대뿐 아니라 오늘날 어디에도 직업을 소명으로 간주한 적이 없었지.
이것은 프로테스탄트를 받아들인 나라들에서만 나타나는 현상이야.
프로테스탄트
미국
캐나다
특징
기타 유럽국가들
예수도 이익추구를 멀리하도록 가르쳤어.
오늘 우리에게 일용할 양식을 주옵소서.
(마태복음 6장 11절)
또 누가복음 16장에서 예수는 재물을 옳지 못한 것으로 보는데
이는 세상에서의 삶을 거부하는 태도야.
삶
예수의 이러한 입장은 직업 노동을 중시하는 자본주의 정신과 전혀 관련이 없어.
후비적
자본주의 정신
기독교 사상을 형성하는 데 매우 중요한 역할을 한 바울* 역시
사도 바울
종말론적인 소망으로 인하여 세상의 직업생활에 무관심했지.
직업
종말론적 소망

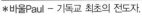

*바울Paul – 기독교 최초의 전도자.

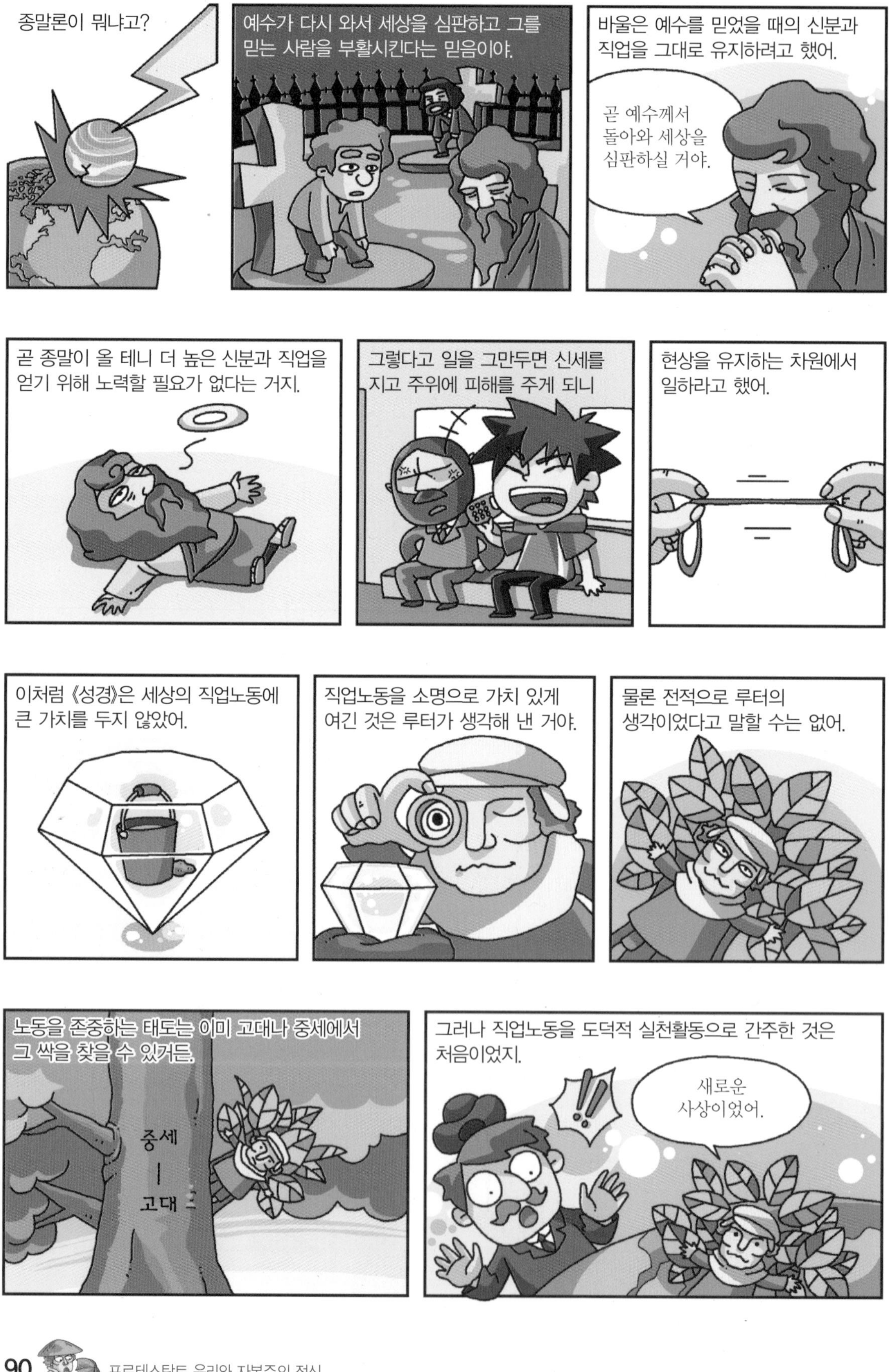
종말론이 뭐냐고?
예수가 다시 와서 세상을 심판하고 그를 믿는 사람을 부활시킨다는 믿음이야.
바울은 예수를 믿었을 때의 신분과 직업을 그대로 유지하려고 했어.
곧 예수께서 돌아와 세상을 심판하실 거야.
곧 종말이 올 테니 더 높은 신분과 직업을 얻기 위해 노력할 필요가 없다는 거지.
그렇다고 일을 그만두면 신세를 지고 주위에 피해를 주게 되니
현상을 유지하는 차원에서 일하라고 했어.
이처럼 《성경》은 세상의 직업노동에 큰 가치를 두지 않았어.
직업노동을 소명으로 가치 있게 여긴 것은 루터가 생각해 낸 거야.
물론 전적으로 루터의 생각이었다고 말할 수는 없어.
노동을 존중하는 태도는 이미 고대나 중세에서 그 싹을 찾을 수 있거든.
중세
고대
그러나 직업노동을 도덕적 실천활동으로 간주한 것은 처음이었지.
!!
새로운 사상이었어.

소명으로서의 직업관념은 모든 프로테스탄트 교파의 중심교리야.
교리
직업관념
이 교리는 가톨릭의 이중도덕을 부정했어.
가톨릭은 도덕적으로 선한 행위를 해야 구원받는다고 주장했는데 이 행위는 두 종류로 나눌 수 있어.
한 종류는 '명령'의 형태로
① 거룩한 날들을 의무적으로 지킬 것.
② 매주 일요일과 축일마다 미사에 참여할 것.
여기서 미사는 예수의 십자가 죽음을 재현하는 의식을 말해.
③ 지정된 금식일을 지킬 것.
④ 적어도 1년에 한 번은 고해성사를 할 것.
고해성사는 하나님께 죄를 고백하는 제도지.
⑤ 적어도 1년에 한 번은 영성체*를 받을 것 등을 포함하고 있어.
일반 신도들이 지켜야 하는 것들이지.

*영성체領聖體 – 성스럽게 된 빵과 포도주를 예수의 몸과 피에 비유해 받아 모시는 일.

다른 한 종류는 '복음적 권고'의 형태로
① 자발적인 청빈*
② 자기 부정과 영적인 우월자에 대한 완전한 순종.
와아아아~
와아아아~

*청빈淸貧 – 성품이 깨끗하고 재물에 대한 욕심이 없어 가난한 것을 뜻함.

③ 영속적인 정결 등을 포함하고 있어.
복음적 권고는 수도사들에게 특별히 요구되는 것이었어.
요구 사항
가톨릭이 이처럼 도덕을 두 종류로 나눈 것은 수도원 제도 때문이야.
권고는 수도사들이 하나님 앞에서 완전하게 선한 사람이 되기 위한 선택이야.
위잉~
위잉~~
청빈
영속적인 정결
권고는 명령보다 귀한 것으로 여겨졌으므로 수도사들은 일반 사람들보다 높은 신분을 유지할 수 있었어.
신분
루터는 가톨릭의 이런 이중도덕을 비판했어.
비판
그는 수도원에서의 권고수행을 무가치한 행동으로 비판하고
쯧
세상에서의 직업활동만이 신을 기쁘게 할 수 있는 유일한 수단이라고 주장했지.
그러고 있느니 집안일 하는 걸 더 기뻐하시겠다!

처음에는 루터도 가톨릭 정신을 그대로 갖고 있었어.
세상에서의 노동은 신의 뜻이긴 하지만 도덕적 가치가 있는 것은 아니었어.
음식 먹는 것과 마찬가지로 생활에 필요한 것으로 보았을 뿐이야.
밥 주세요~.
꼬르륵~
그러나 시간이 지남에 따라 루터의 생각은 변했어.
수도원 생활이 하나님 앞에서 완전하게 되는 데 전혀 무가치할 뿐만 아니라
세상에서의 노동을 기피하려는 이기주의의 산물로 비쳤어.
그는 심지어 수도원 생활을 "악마의 지시에 의한 것."이라고까지 말했지.
수도원 생활을 해야 구원받아.
알았지? 꼭 수도원 생활을 해야 해.
세상에서 먹고 살려고 하는 노동은 천한 거야.
또 루터는 인간은 불완전하다고 보았어.
때문에 어떤 인간도 완전하게 선한 사람이 될 수 없다고 했지.
따라서 인간은 '선한 행동'으로는 구원받을 수 없다고 생각했어.

오로지 하나님이 우리 죄를 용서해 준다는 사실을 '믿음'으로써 가능하다고 주장했어.
학자들은 가톨릭 구원관을 '행위를 통한 구원'이라 하고
루터의 구원관을 '믿음을 통한 구원'이라고 해.
믿습니다!
루터는 세상의 직업노동을 '이웃에 대한 사랑이 밖으로 표현된 것'이라고 생각했어.
세상에서 노동을 하기 위해서는 서로 일을 나누어서 해야 하기 때문이야.
이걸 어려운 말로 분업이라고 해.
분업을 하면 모든 사람이 서로를 위해 노동을 하는 셈이잖아?
자신이 일을 하지 않으면 다른 사람의 생활이 곤란해지겠지?
그래서 직업노동은 이웃에 대한 사랑이 되는 거지.
이런 견해는 루터가 후대에 끼친 가장 중요한 영향들 중 하나야.
루터의 태도는 파스칼*의 명상적 태도와 전혀 다르지.
500
파스칼은 직업활동이 허영과 교활함으로 가득 차 있다고 생각했어.

*파스칼 Blaise Pascal 1623~1662 – 프랑스의 사상가, 수학자, 물리학자.

그는 직업활동을 혐오하며
명상적 생활을 최고의 삶으로
생각했지.
또 루터의 태도는 예수회
(Jesus)*의 태도와도 달라.
예수회란 종교개혁에
대항해 가톨릭과
교황을 수호하기 위해
만든 단체야.

*예수회 – 1534년 에스파냐의 로욜라가 세워 1540년에 교황의 승인을 받은 남자 수도회.

예수회는 직업노동을 피할 수 없는
것으로 보고
어쩔 수 없이 인정했을 뿐이야.
오늘도
해가
뜨는구나.
그것은 '이웃에 대한 사랑'이라는
도덕적 가치를 부여한 루터와는
많이 다르지.
이웃사랑하면
나지!!
그러나 루터는 직업노동에 가치를 부여하긴 했지만
자본주의 사상과 관련은 없었어.
?
그는 이자를 받는 것과 이익을 추구하는 활동에 대해
매우 부정적이었거든.
만일 프랭클린의 글을
읽는다면 거부할 것이
분명해.
생활에 필요한 것보다 물질을 더 많이
모으려 하는 태도는 신에게 버림받은
표시라고 여겼거든.
거두어 주세요
이익을 남기기 위해서는 타인에게
손해를 끼쳐야만 한다고 생각했기
때문이야.
다 내거!

게다가 루터의 직업사상도 궁극적으로 점점 《성경》의 가르침을 닮아갔어.
성경
특히 독일의 농민반란 이후에는 별 차이가 없어졌지.
성경
?
농민반란은 억압당하는 농민들이 불만을 갖고 일으킨 것으로 뮌처*가 주동자였어.
권력
꿈틀
뮌처는 루터의 소개로 목사가 된 사람이었어.
당신의 교리에 큰 감명을 받았어요.
그러나 평등과 재산의 공유를 주장하면서 루터와 결별하게 됐지.

*뮌처 Thomas Münzer 1490~1525 – 독일의 급진적인 종교 · 사회 개혁 운동가.

뮌처의 설교를 듣고 농민과 광부 들은 깊이 공감했어.
1524년 튀빙겐에서 시작된 농민반란은 순식간에 독일 전역으로 파급되었어.
루터는 반란세력들을 비난했지.
루터는 자신의 신분이나 직업에 불만을 갖지 말고
숙명으로 받아들이라고 주장했어.
이러한 숙명론을 뒷받침하기 위해 그는 두 가지 논리를 폈어.

하나는 누구나 구원을 얻을 수 있으므로
구원
신분과 직업에 관심을 갖는 것은 무의미한 일이라는 논리였어.
다른 하나는 섭리사상이었어.
섭리사상은 신이 세상의 모든 일을 주관하고 다스린다는 사상이야.
섭리사상에 따르면 사람에게 주어진 모든 환경은 신의 뜻이야.
직업은 신의 특별한 명령이므로
직업을 가지세요.
모든 사람은 자신의 신분과 직업에 머물러야 한다고 주장했어.
자신의 신분과 직업에서 벗어나려 노력하는 사람은 신의 뜻을 거스르는 결과가 되는 거야.
모든 사람의 노력은 자기에게 주어진 사회적 지위에서 이탈하면 안 된다고 주장했어.
당신은 여기까지만 하세요.
1
이로 인해 그의 직업 소명 사상은 약화되고 말았어.

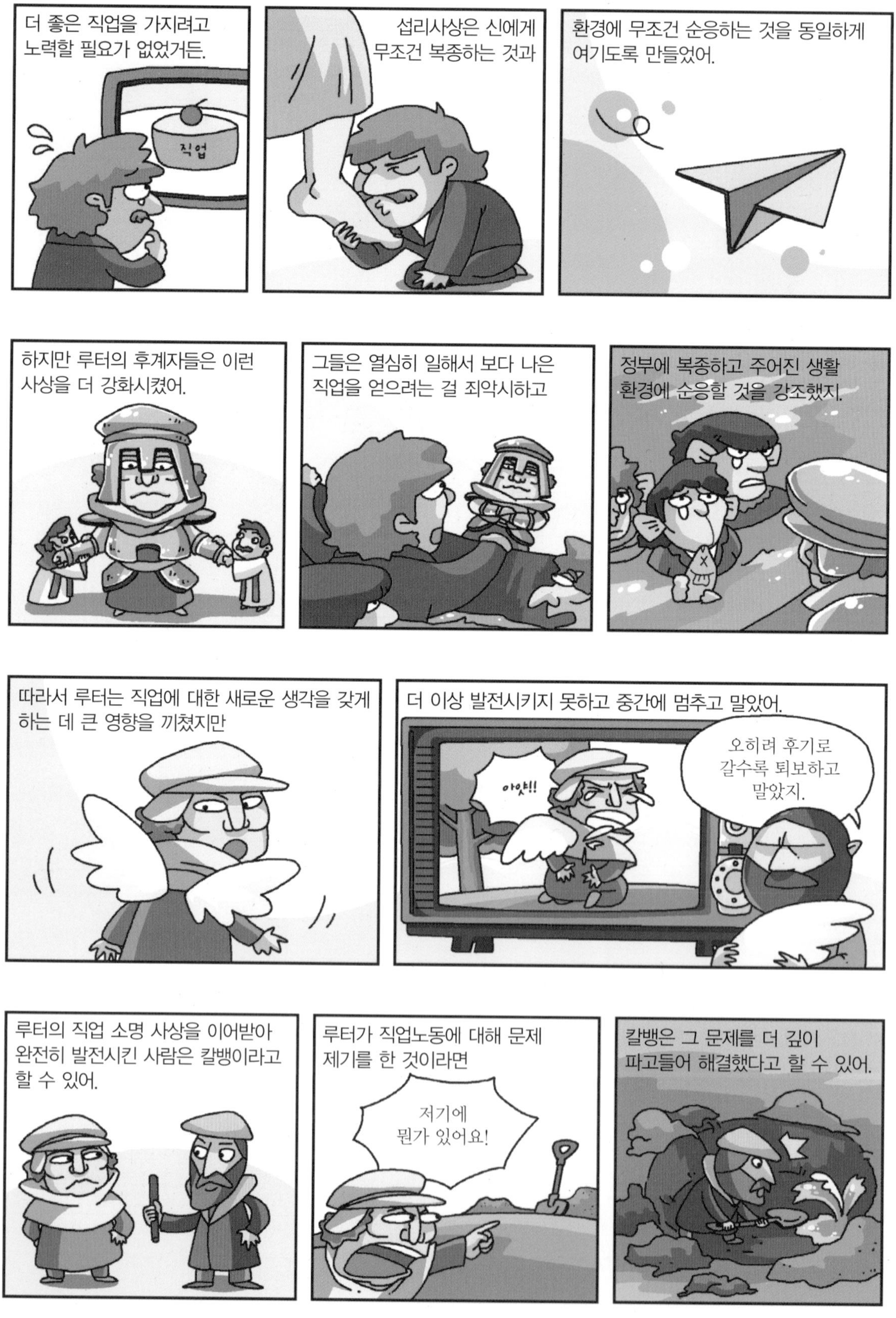
더 좋은 직업을 가지려고 노력할 필요가 없었거든.
직업
섭리사상은 신에게 무조건 복종하는 것과
환경에 무조건 순응하는 것을 동일하게 여기도록 만들었어.
하지만 루터의 후계자들은 이런 사상을 더 강화시켰어.
그들은 열심히 일해서 보다 나은 직업을 얻으려는 걸 죄악시하고
정부에 복종하고 주어진 생활 환경에 순응할 것을 강조했지.
따라서 루터는 직업에 대한 새로운 생각을 갖게 하는 데 큰 영향을 끼쳤지만
더 이상 발전시키지 못하고 중간에 멈추고 말았어.
아얏!!
오히려 후기로 갈수록 퇴보하고 말았지.
루터의 직업 소명 사상을 이어받아 완전히 발전시킨 사람은 칼뱅이라고 할 수 있어.
루터가 직업노동에 대해 문제 제기를 한 것이라면
저기에 뭔가 있어요!
칼뱅은 그 문제를 더 깊이 파고들어 해결했다고 할 수 있어.

칼뱅의 사상을 받아들인 청교도들은 직업노동을 도덕적 의무로 여겼어.
이건 내가 꼭 해야 하는 일이야.
그래서 그들은 직업활동에 매우 적극적이었단다.
그들은 직업에서 성공하는 것을 구원받은 표시로 여겼지.
가톨릭과 루터교는 칼뱅주의자들의 이러한 태도를 매우 싫어했어.
오늘날 프랑스, 독일, 영국은 국민성에서 많은 차이가 나.
이러한 차이는 종교가 많은 역할을 했다고 할 수 있어.
프랑스는 가톨릭의 영향을 많이 받았고
푹
독일은 루터의 영향을 많이 받았으며
영국은 칼뱅의 영향을 많이 받았지.
칼뱅주의는 어떻게 직업노동에 큰 가치를 둘 수 있었을까?
내가 쓴 책에서는 이것들도 함께 다루었는데 여러분에겐 어려울 것 같아서
감리교
침례교 종파들
경건주의
지금은 칼뱅주의만 대표적으로 다룰 거야. 더 자세한 내용을 알고 싶으면 이 책 맨뒤 정보 코너를 참고해.
다음 장에서 자세히 소개해 줄게.

제6장 칼뱅주의와 현세적 금욕주의

1. 종교의 여러 형태들

'현세적 금욕주의' 가 뭐예요?
단어가 조금 어렵지?
다른 말로 쉽게 풀어 표현하려다 내 사상을 이해하는 데 아주 중요한 개념이라서 그냥 사용하기로 했어.
현세적 금욕주의
그 대신 내가 충분히 잘 설명해 줄게.
이 책에는 없지만 나는 종교를 몇 가지 형태로 구분했어.
메뉴
여기서는 내가 어떻게 종교를 구분했는지 간단히 소개할게.
그러면 현세적 금욕주의가 무엇을 말하는지 더 쉽게 이해할 수 있을 거야.
꿀꺽 꿀꺽

너희들! 천국, 천당이라는 말 들어본 적 있지?
기독교에서는 예수를 믿으면 천국에 간다고 하고
불교에서는 부처의 가르침대로 살면 극락에 간다고들 해.
천국, 천당 등은 고통, 악, 질병, 죽음이 없는 상태를 나타내는 말들이야.
모든 종교가 이러한 구원을 추구하지.
하지만 무엇을 구원된 상태로 보느냐는 종교마다 달라.
?
나는 종교를 '무엇을 구원된 상태로 보느냐'에 따라
'현세적 종교'와
현실
'내세적 종교'로 나누었어.
'현세적 종교'는 세상을 가치 있는 곳으로 여기고
직업에서 성공하는 것이 죽은 후 구원을 보장받는 것으로 간주하는 종교를 말해.
정직하고 성실하게 일해야 구원받는 거지!

이와 반대로 '내세적 종교'는 세상을
무가치하게 여기고
STOP
세상의 모든 것을 포기하는 것이 죽은 후 구원을 보장하는
것으로 간주하는 종교를 말해.
조용히 살다 죽어서
구원받는 것이 최고지.
그것말고도 나는 종교가
'어떻게 구원을 이루느냐'에 따라
'금욕주의 종교'와
'신비주의 종교'로 나누었어.
'금욕주의 종교'에서는 사람을
신의 명령을 수행하는 도구로 여겨.
따라서 신의 명령에 따라 이 세상을 정복하는 적극적인 행동을 통해
구원을 이루려고 해.
신이시여! 나는
당신의 종입니다.
당신의 명령대로
이 세상을
변화시키겠습니다.
반대로 '신비주의 종교'에서는 사람을
신성을 담고 있는 그릇으로 여겨.
이 세상에 대해 체념하고 명상을 통해 자신 속에 담겨 있는
신성을 깨달아 구원을 이루려고 하지.

체념이 무슨 뜻인지 알지?
희망을 포기한다는 뜻이야.
명상은 가만히 앉아서 눈을 감고 깊이 생각에 잠기는 것을 말하지.
나도 신이 될 수 있어!
내 속에 있는 신적인 잠재력을 깨우칠 수만 있다면…!
이것을 표로 제시하면 다음과 같아.

구원된 상태를 중심으로 하는 종교의 구분
현세적 종교
① 고통, 악, 질병, 죽음 등이 있지만 이 세상은 가치가 있는 곳임.
② 이 세상의 직업활동에서 성공하는 것이 구원을 보장함.
내세적 종교
① 고통, 악, 질병, 죽음 등이 있는 이 세상은 무가치함.
② 이 세상의 직업활동을 포기하는 데 성공하는 것이 구원을 보장함.

구원수단을 중심으로 하는 종교의 구분
금욕주의 종교
① 인간은 신의 명령을 수행하는 도구.
② 고통, 악, 질병, 죽음 등을 정복하려고 함.
③ 적극적인 행동을 통해 구원을 이룸.
신비주의 종교
① 인간은 신성을 담고 있는 그릇.
② 고통, 악, 질병, 죽음 등을 체념하려고 함.
③ 명상을 통해 구원을 이룸.

이처럼 종교를 두 가지로 나눈 다음, 이 두 가지 방식을 합쳐 종교를 다음과 같은 네 가지 형태로 구분했어.
구원상태
현세적 종교
내세적 종교
구원수단
금욕주의 종교
신비주의 종교

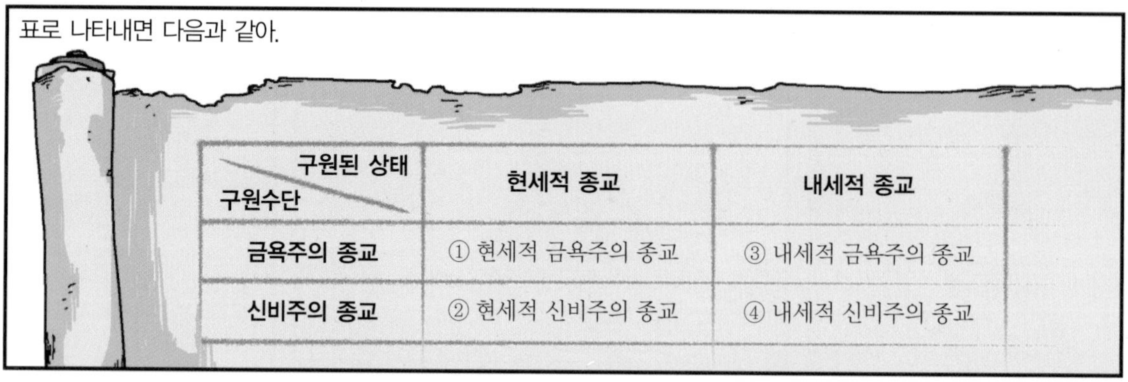
표로 나타내면 다음과 같아.

구원된 상태 / 구원수단	현세적 종교	내세적 종교
금욕주의 종교	① 현세적 금욕주의 종교	③ 내세적 금욕주의 종교
신비주의 종교	② 현세적 신비주의 종교	④ 내세적 신비주의 종교

① 현세적 금욕주의는 이 세상을 가치 있는 곳으로 생각하고

고통, 악, 질병, 죽음 등을 정복하고 극복하려고 해.
ㅋㅋㅋ

직업노동을 열심히 해서 인간의 본성에 들어 있는 악한 경향을 억제하려 하지.

이 종교에선 칼뱅주의가 가장 두드러지며 이 외에도 경건주의, 감리교, 침례교 등이 있는데 여기서는 칼뱅주의에 대해서만 자세하게 살펴볼 거야.
오!!

② 현세적 신비주의 역시 이 세상을 가치 있는 곳으로 보지만

고통, 악, 질병, 죽음 등에 대해서는 체념하려고 해.

그리고 직업노동을 열심히 하기보다는 명상을 더 좋아해.
앞서 살펴본 루터의 종교사상이 이러한 특징을 보여.

③ 내세적 금욕주의는 이 세상을 가치 없는 곳으로 생각해.
하지만 고통, 악, 질병, 죽음 등을 체념하지 않고 적극적으로 극복하고 정복하려고 하지.
하지만 세상의 직업노동을 중요하게 생각하지 않고 수도원 등에서 생활하는 것을 좋아해.
가톨릭이 여기에 속한다고 할 수 있어.
④ 내세적 신비주의는 이 세상을 무가치한 곳으로 생각할 뿐만 아니라
고통, 악, 질병, 죽음 등에 대해서도 체념하려고 해.
콜록
따라서 세상과 단절하고 명상에 집중하려고 해.
힌두교와 불교가 여기에 속한다고 할 수 있지.
이 네 가지 형태로 인간의 모든 종교를 다 설명할 수는 없겠지만,
이러한 구분이 인간의 종교를 잘 이해할 수 있는 방법이라고 생각해.
어때? 이렇게 설명하니 현세적 금욕주의가 어떤 것인지 보다 쉽게 이해되지?
종교는 사람들이 세상을 어떻게 바라보고
또 어떻게 행동해야 할지에 대해 매우 중요한 영향을 끼쳐.
??
??

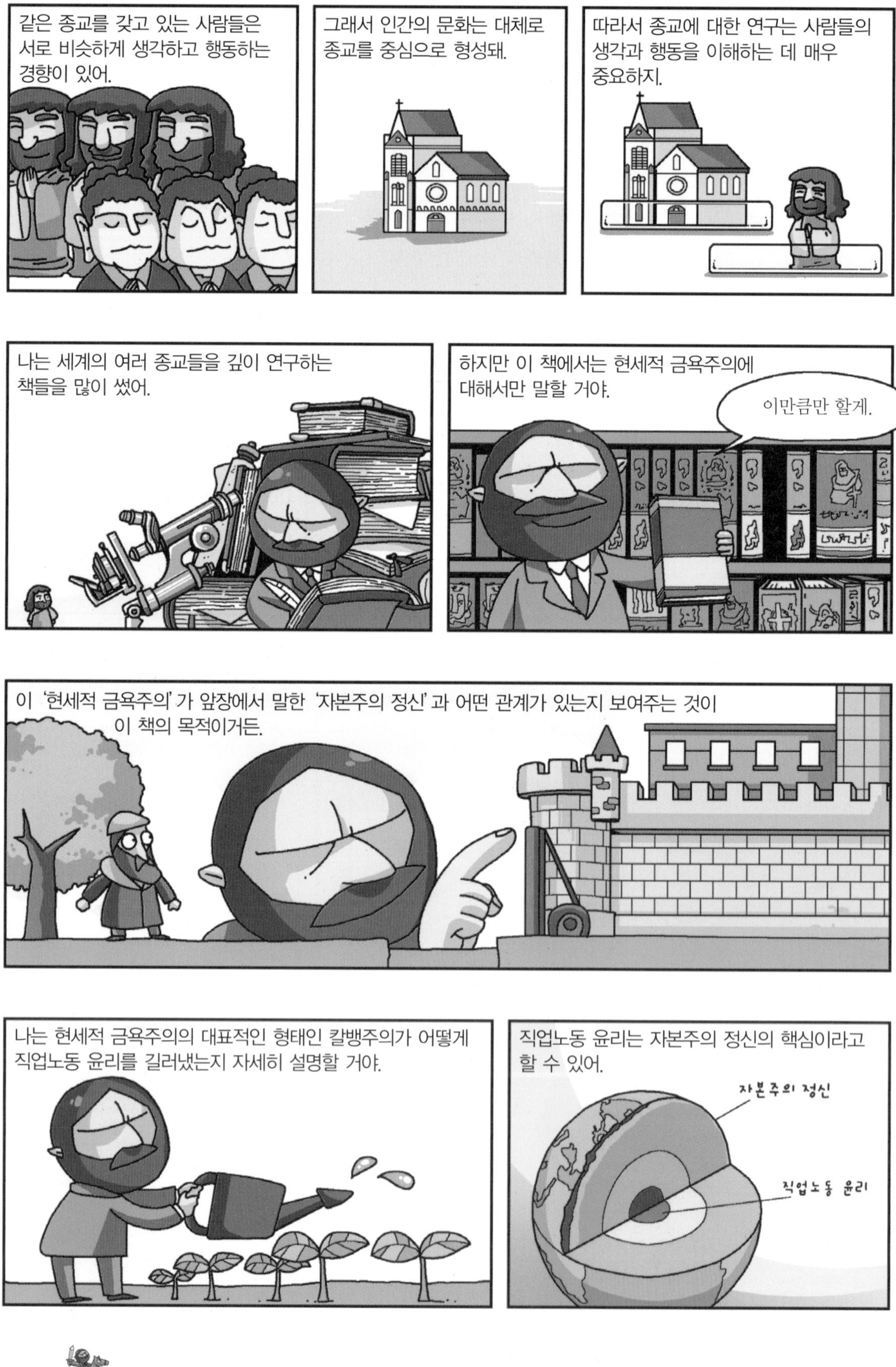
같은 종교를 갖고 있는 사람들은 서로 비슷하게 생각하고 행동하는 경향이 있어.
그래서 인간의 문화는 대체로 종교를 중심으로 형성돼.
따라서 종교에 대한 연구는 사람들의 생각과 행동을 이해하는 데 매우 중요하지.
나는 세계의 여러 종교들을 깊이 연구하는 책들을 많이 썼어.
하지만 이 책에서는 현세적 금욕주의에 대해서만 말할 거야.
이만큼만 할게.
이 '현세적 금욕주의'가 앞장에서 말한 '자본주의 정신'과 어떤 관계가 있는지 보여주는 것이 이 책의 목적이거든.
나는 현세적 금욕주의의 대표적인 형태인 칼뱅주의가 어떻게 직업노동 윤리를 길러냈는지 자세히 설명할 거야.
직업노동 윤리는 자본주의 정신의 핵심이라고 할 수 있어.
자본주의 정신
직업노동 윤리

2. 칼뱅주의
칼뱅주의는 16세기와 17세기에 가장 발전했던 나라들 즉 네덜란드, 영국, 프랑스에서
바로 우리들의 나라!
커다란 정치적·문화적 투쟁을 불러일으켰던 신앙이었어.
당시의 칼뱅주의에서 가장 특징적인 교리는 예정론이었어.
스케줄표
예정론은 칼뱅의 책 《그리스도교 강요》 3판에서 완전히 발전되었으며
그가 죽은 후
1618년의 도르트 회의와 1647년의 웨스트민스터 회의에서 기독교 중심교리로 인정되었어.
예정론은 신이 천지를 창조하기도 전에 구원받을 사람과 저주받을 사람을 구분해 놓았다는 이론이야.
이건 재활용!
이건 폐품!
폐품
웨스트민스터 신앙고백에 나오는 예정론에 대한 글을 잠깐 소개할게.
신앙고백
글 내용이 어려워서 내가 새로 구성했어.
그래서 원래의 글과 내용은 좀 다르겠지만 의미는 같아.
개 봉 박 두 !

제9장 〈자유의지에 대하여〉 3절
신은 착한 사람을 구원한다.
그러나 타락한 인간은 착한 행동을 할 수 있는 능력을 완전히 잃어버렸다.
그는 착한 행동을 싫어하므로 자신의 잘못을 뉘우칠 생각조차 못 한다.
그래서 신의 은혜가 없이 인간의 힘으로는 결코 구원될 수 없다.

제3장 〈신의 영원한 결단에 대하여〉 3절
신이 은혜를 베풀지 않고 그냥 놓아두면 모든 사람은 벌을 받아 죽을 수밖에 없다.
신은 일부의 사람들을 영원한 생명(구원)으로 예정하고 나머지 사람들은 영원한 죽음으로 예정했다.
신은 자신의 영광을 드러내기 위해 이러한 결정을 했다.

5절
신은 세상이 만들어지기 전에 자신의 영원불변한 의도와
은밀한 계획과 기쁜 뜻에 따라 일부의 사람만을 그리스도 안에서 구원하기로 마음먹었다.
구원은 신의 자유로운 은총과 사랑의 결과이지 사람의 믿음이나 선행 때문이 아니다.

7절
신은 자신의 기쁜 뜻대로 자비를 베풀기도 하고 거두어들이기도 한다.
신은 구원된 사람들 외의 나머지 사람들이 자신의 죄 때문에 부끄러움과
분노를 당하도록 그대로 방치했다. 신이 왜 이렇게 하는지 우리는 도무지 알 수 없다.
그것은 피조물에 대해 자신의 주권과 영광을 드러내고 자신의 의로움을 찬양하도록 하기 위한 것이다.

소명에 대하여
제10장 〈소명에 대하여〉 1절
신은 구원하기로 예정한 사람들을 정해진 시간에 말씀과 성령으로 감동시켜 그들의 돌 같은 마음을 새 마음으로 바꾸고 그들의 의지를 새롭게 하여 자신의 전능한 힘으로 그들을 선하게 만든다.

제5장 〈섭리에 대하여〉 6절
신은 의로운 재판관이다.
그는 죄 때문에 눈멀고 마음이 돌처럼 굳어진 악한 사람들을 세상의 유혹과 사탄의 세력에 넘겨주어 제멋대로 내버려둔다.

지옥에 간다 하더라도 나는 이런 신을 존경하지 않을 것이외다.
잃어버린 낙원
《잃어버린 낙원》이라는 책을 쓴 밀턴*이란 사람은 이렇게 말했어.
너희들 생각은 어때?
…무섭고 끔찍해요.

*밀턴 John Milton 1608~1674 – 영국의 시인.

칼뱅은 신이 절대적인 주권을 가지고 있다고 생각했어.
주권은 어떤 일을 결정하는 최고의 권력을 말해.
따라서 절대적인 주권은 그야말로 어떤 것에도 방해받지 않고 마음대로 결정할 수 있는 권력이야.

신이 절대적인 주권을 가지고 있다는 것은
세상의 모든 일을 자기 뜻대로 결정하고 일어나게 한다는 의미를 갖고 있어.
예정론은 신이 절대적인 주권을 갖고 있다는 생각에서 나온 거야.
신은 절대적인 주권을 갖고 있으므로 어떤 사람은 구원받을 사람으로 만들고,
호호
어떤 사람은 저주받을 사람으로 만들 수 있다 이거지.
펑
칼뱅이 관심을 가진 것은 인간이 아니라 신이었어.
그는 신을 중심에 놓고 그의 사상을 형성했어.
내 관심 대상은 오로지 신뿐이야!
그에 따르면, 신이 인간을 위해 존재하는 것이 아니라
도와주세요.
인간이 신을 위해 존재해.
심심한데 만들어 볼까?
세상 만물이 그 자체로서는 가치가 없고 신의 영광과 위엄을 나타내는 수단이 될 때에만 가치가 있어.
당연히 인간의 삶의 목적도 신을 영광스럽게 하는 데 있어.

아마 너희들은 신이 이처럼 자기 마음대로
어떤 사람은 천국에 보내고
어떤 사람은 지옥에 보내는 것을 옳지 않다고 생각할지 몰라.
예, 그래요.
인간에게 자유를 주고, 착한 행동을 한 사람은 천국에 보내고
악한 행동을 한 사람은 지옥에 보내야 옳은 것 아닌가요?
처음 만들 때부터 천국 갈 놈, 지옥 갈 놈을 정해 놓은 것은 너무해요!
그래, 사람의 눈으로 보면 그렇게 생각할 수 있어.
하지만 칼뱅은 신이 인간의 생각과 법을 초월해 있기 때문에
걸리버는 거인일까? 소인일까?
인간이 갖고 있는 정의의 기준을 신의 결정에 적용해서는 안 되며,
그것은 신의 위엄에 대한 모욕이라고 말했어.
그에 따르면
저주받은 사람이 운명에 대해 하나님께 불평하는 것은
천국 보내줘~!
동물이 사람으로 태어나지 못한 것을 한탄하는 것과 마찬가지야.
인간으로 태어났으면….

《성경》의 로마서 9장에 보면
로마서 9장
토기장이가 진흙 한 덩어리로 하나는 귀히 쓸 그릇으로 만들고
하나는 천히 쓰일 그릇으로 만든다고 해서 누가 무슨 말을 할 수 있느냐고 하는 내용이 나와.
맞는 말 아니야? 그것은 전적으로 토기장이의 마음이지.
마찬가지로 무에서 유를 창조하듯 신이 세상을 창조했잖아? 자기 뜻대로 세상을 창조할 권한이 있는 것 아니겠어?
게다가 인간이 죄를 짓고 타락하여 모두 지옥에 갈 수밖에 없는 마당에
그중 일부를 선택해 구원한다고 해서 어떻게 불평할 수 있겠어?
이게 칼뱅의 생각이야. 불평하기보다는 오히려 신의 은혜로운 선택에 감사해야 한다는 거야.
그는 인간이 착한 행동을 통해 신의 마음을 움직여 구원을 받으려고 하는 태도를
신이시여! 여기 좀 봐 주세요~
신에 대한 무례하고 불경스러운 것으로 비난했어.
에잇!
툭
툭
신의 결정을 인간의 행동에 종속시키려 하기 때문이라 이거지.

칼뱅의 주장과는 달리
《성경》에는
죄를 지은 사람이 자신의 잘못을 회개하는 행위에 대해
기뻐하는 자비로운 신의 모습이 많이 나와.
예를 들면, 누가복음 15장 7절에 쓰여진 말 같은 거야.
누가복음 15장 7절
"하나님은 죄인 한 사람이 회개하면, 회개할 것이 없는 의인 아흔아홉 사람보다 더 기뻐한다."
칼뱅은 자신의 사상에서 이런 자비로운 신의 모습을 지워버렸어.
칼뱅이 그리는 신은 인간의 이해를 넘어서 있는 초월적인 존재야.
그는 모든 개인의 운명을 결정했고
영원 전부터 우주의 가장 사소한 일조차도 규정해 놓았어.
'신'
한 번 내린 그의 결정은 변하지 않기 때문에
방부제
구원을 받은 사람이 구원을 잃어버리는 것도, 저주받을 사람이 새로 구원을 받는 것도 불가능해.
인간은 그의 결정을 이해할 수도 없고 알 수도 없어.

3. 칼뱅주의와 개인주의

예정론 교리는 영국과 미국 사회에 매우 큰 영향을 끼쳤어.
개인이 다른 사람에게 의존하지 않고
자기 문제를 스스로 해결하는 독립적인 사람이 되는 데 정신적으로 큰 역할을 했지.
여기서 서양의 개인주의가 생겨난 거야.
예정론에 따르면, 아무도 자신의 구원 문제를 도와줄 수도 없고 해결해 줄 수도 없어.
나는 혼자야. 세상 그 누구도 날 도와줄 수 없어.
그럼으로써 첫째, 성직자가 아무 소용없어졌어.
가톨릭에서는 성직자가 사람과 신 사이를 중개하고
신을 대신해서 사람에게 구원을 베푸는 중요한 역할을 해.
또, 종교의식을 거행하고 고해성사를 주관하지.
하지만 예정론에 따르면, 모든 사람의 운명은 태초에 결정되어 있고
도와주세요.
한 번 결정된 것은 결코 번복할 수 없기 때문에 구원을 중개하는 성직자는 아무 소용이 없는 거지.
결정을 번복할 수는 없구나.
?!
더 이상 성직자에게 의존할 필요가 없어진 거야.

또 가톨릭에서는 마리아와 성인을 숭배하는 사상이 있어.
성인이란 순교자 또는 교회의 유명한 자들로서 이미 죽은 사람을 말해.
이들에게 중재기도를 하면 신이 기도를 들어준다고 생각했지.
그러나 예정론은 이런 숭배 자체를 무의미하게 만들어 버려.
소용없어. 이미 결정해 버리셨더라고.
!!
둘째, 성사 예식이 아무 소용이 없게 돼.
소용 없다니까.
성례에는 세례와 성만찬이 있어.
세례는 신자가 될 때 베푸는 의식이야.
성부와 성자와 성령의 이름으로 세례를 줍니다.
성만찬은 예수가 십자가에게 못 박히기 전날 제자들과 함께 한 저녁식사를 기념하는 의식을 말해.
예수는 빵과 포도주로 저녁식사를 하면서
빵을 자신의 몸에 비유했고
포도주를 자신이 흘릴 피에 비유했어.

가톨릭에서는 세례와 성만찬이 구원을 이루는 데 중요한 종교의식이라고 주장해.
그러나 예정론에 따르면, 아무리 성례전에 열심히 참여하더라도 자신의 구원에 영향을 줄 수 없어.
잘 먹었지만 결정을 번복할 수는 없네.
신의 영광을 증대시키는 데 필요한 의식이지만 구원에 도달하는 수단은 못 돼.
그래서 성례전이 아무 소용없어지고 말아.
애앵
셋째, 교회도 아무 소용이 없어지지.
교회에 아무리 열심히 참여하고 활동하더라도
구원에는 도움이 안 돼.
흥!!
성례와 마찬가지로 교회에 참여해서 활동하는 것은 신의 영광을 드러내는 데 매우 중요한 거야.
그러나 구원에는 아무 역할을 못 한다 이거지.

마지막으로, 신조차도 소용이 없게 돼.
흐앙~
신은 한 번 내린 결정을 결코 번복할 수 없으므로 신에게 매달려도 자신의 운명을 바꿀 수는 없는 거지.
흐어엉
아멘….
예정론에 따르면, 예수 그리스도는 모든 사람이 아니라 오직 구원으로 선택된 자들만을 위해 죽은 셈이야.
따라서 예수 그리스도의 이름으로 아무리 기도해도 신은 자신의 결정을 번복하지 않아.
선택받은 자들의
죄만 사하여 주겠다.
이러한 결과로 이제 어떤 외부의 존재도 개인의 구원에 도움을 줄 수 없게 되었어.
도와주세요.
인간은 처음부터 결정되어 있는 운명의 길을 고독하게 걸어가야만 했어.
예정론은 신의 마음을 사려고 주술적인 수단을 사용하려는 마음을 모두 없애버렸어.
쉽게 말하면
뇌물을 주려는 행위를
모두 막아버린 거야.
나는 이것을 '탈(脫) 주술화'라고 표현했어. 주술적인 것을 벗어난다는 의미야.

주술이 무슨 말이냐고?
주술은 사람들이 자기의 목적을 이루기 위해
초자연적인 존재나 힘을 이용하려는 행위를 말해.
대학수학능력시험
병을 치료한다든가
일의 성공을 빈다든가
남을 해치려는
주술도 있어.
예를 들면, 상대방을 대신하는 인형을 만들어 바늘로 마구
찌르는 행위와 상대방의 그림을 그려놓고 활로 쏘는 행위
등이 있어.
신을 자기 마음대로 움직이려고 하는 모든 행위가
주술이라고 할 수 있어.
무당들이
굿하는 것도
그중 하나야.
지구상의 어떤 종교도 칼뱅의 사상만큼
주술적인 것을 철저히 벗어나지는 못했어.
칼뱅의 사상을 받아들인 청교도들은 가까운 사람이 죽었을 때
어떤 종교의식도 없어.
음악은 물론
심지어 장례식조차 없이
바로 매장해 버렸어.
흥..
이것은 종교의식에 대한 미신적인
태도가 생기는 것을 막기 위해서였어.
이런 건
이제 그만!
이런 맥락에서 청교도들은 인간의
감정적인 요소를 위험스럽게 생각하고
억제했어.
감정적인 요소들이 미신과
망상을 자극한다고 본 거지.
톡톡

또한 청교도들은 인생을 살아가면서 친구나 다른 사람의 도움을 크게 신뢰하지 말라고 가르쳤어.
아마 의존하려는 마음이 생기는 것을 방지하기 위해서일 거야.
오직 신만이 신뢰의 대상이 되어야 하거든.
이런 가르침에서 '더치 페이'가 나왔다고 할 수 있어.
더치 페이는 자기가 먹은 것은 자기가 계산하는 것을 말해.
'더치'는 '네덜란드의', '네덜란드 사람'이라는 뜻이고,
'페이'는 돈을 지급한다는 뜻이지.
따라서 더치 페이는 '네덜란드 사람들이 돈을 지급하는 방식'이라는 의미야.
내 것만 계산해 줘요.
네덜란드 사람들이 자기가 먹은 음식값을 자기가 내던 것에서 유래했다고 할 수 있어.
칼뱅의 사상이 가장 먼저 보급된 나라가 네덜란드야.
16세기에서 17세기로 넘어가는 시기에 네덜란드에서는 칼뱅주의가 지배적인 세력이 되었어.
와— 와—
당연히 칼뱅의 사상이 생활방식에 큰 영향을 미쳤겠지?

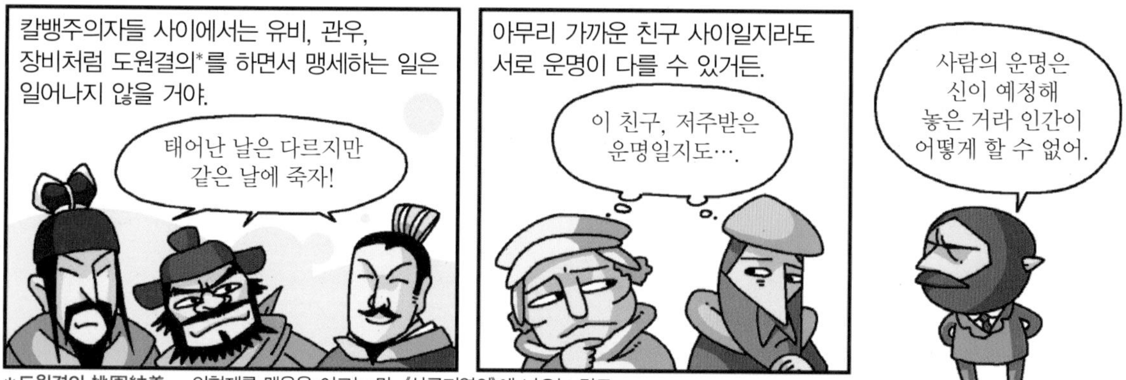
칼뱅주의자들 사이에서는 유비, 관우, 장비처럼 도원결의*를 하면서 맹세하는 일은 일어나지 않을 거야.
태어난 날은 다르지만 같은 날에 죽자!
아무리 가까운 친구 사이일지라도 서로 운명이 다를 수 있거든.
이 친구, 저주받은 운명일지도….
사람의 운명은 신이 예정해 놓은 거라 인간이 어떻게 할 수 없어.

*도원결의 桃園結義 – 의형제를 맺음을 이르는 말. 《삼국지연의》에 나오는 말로 유비, 관우, 장비가 도원에서 의형제를 맺은 데에서 유래한다.

칼뱅주의가 영향을 끼친 나라에서는 부모와 자식의 삶이 분명하게 구분되어 있어.
흠흠
부모는 자식이 성인이 된 다음에는 전혀 간섭하지도 않고, 간섭할 수도 없어.
뚝

이들 나라에서는 아이들의 독립성을 키워주기 위해 어릴 때부터 매우 분명하게 훈련을 시켜.

네 문제니 네가 해결하렴.
아르바이트를 해서 돈을 번다.
용돈을 가불한다.
이들은 자녀가 스스로 자기 일을 선택하고 결정하기를 바라.

한국은 정반대지?
당연히 사줘야지!
결혼해서까지 부모에게 의존하는 경우도 많고
부모도 결혼 때 이래라 저래라 간섭하기도 해.

우리나라 여론에도 정부가 시장에 규제를 많이 한다고 불평하면서 규제를 줄이라는 의견이 많지.
한국의 집단주의는 그 자체가 규제문화라고 할 수 있어.
아마 그런 주장을 하는 사람도 자기 집에서는 자녀의 일에 규제를 많이 할 거야.
통금시간 엄숙!
니스벳(Richard Nisbett)이라는 미국의 심리학자는 《생각의 지도》라는 책에서
안녕하세요?
동양의 집단주의와 서양의 개인주의를 비교하며 자신의 친구 이야기를 소개하고 있어.
제 친구는 스코틀랜드 계 미국사람으로 칼뱅주의의 신도인데
유명한 사회과학자 입니다.
이 친구에게는 사회과학을 전공하는 아들이 있는데
미국의 경제사정이 좋지 않아 제대로 된 직장을 못 구하고 있었어.
하아~..
구인
구직
친구는 자신이 나서서 아들의 직장을 구해 주지 않은 것을 자랑스러워했죠.
나처럼 행동하면 부패가 확 줄어들어!
아마 동양사회인 한국에서는 자식 일에 이렇게 무관심한 아버지를 이해하지 못할 거야.
오늘도 힘내거라.
예.
너희들도 자식이 어려울 때 도울 수 있으면 당연히 도와야 한다고 생각하지?

이제 칼뱅주의의 예정론이 어떻게 개인주의의 정신적 뿌리가 되었는지 이해하겠지?
예정론

칼뱅주의자들은 다함께 교회생활을 열심히 하지만

각 개인은 따로따로 신과 관계를 맺고 교제를 해.

이것은 마치 비가 오면 모든 사람이 동시에 우산을 펴는 것과 같아.

많은 사람이 동시에 같은 행동을 하는 것처럼 보이지만
실제로 사람들은 비가 온다는 사실에 개인적으로 반응하고 있을 뿐이야.

많은 사람들이 함께 예배에 참석하고 교회활동을 하지만

그들은 신에 대해 개인적으로 관계를 맺고 있을 뿐이다, 이거야.
비가 오네.

구원은 결국 개인의 문제니까 말이야.

4. 칼뱅주의와 합리적인 직업노동 조직

모든 전통사회는 집단주의 사회였어.
집단주의 사회

그래서 개인은 집단 속에 묻혀 있어서 자신의 목소리를 내지 못했어.

칼뱅주의의 예정론은 이처럼 집단 속에 묻혀 있던 개인을 떼어내어 독립적인 존재로 만들었지.

쏙~

사람들은 다른 사람과의 관계에 얽매이지 않고 신과 직접 관계를 맺는 방식으로 생활했어.

하지만 칼뱅주의는 사람들이 집단에서 떨어져 나와 마냥 혼자 생활하도록 놓아둔 것은 아니야.
안녕히 계세요!

칼뱅주의는 전통적인 집단에서 떨어져 나온 개인들을 결합시키는 새로운 형태의 조직을 만들어냈어.
전통 집단

이 조직은 역사상 그 유래를 찾아볼 수 없는 매우 합리적인 형태의 조직이었어.

칼뱅주의자들은 이 세상에 자신들이 존재하는 유일한 목적을
목적
최선을 다해 신의 영광을 증대시키는 것에 두었어.
신의 영광
따라서 칼뱅주의자들은 수직적으로 각 개인이 신과 직접 관계를 맺으면서도
신의 영광을 증대시키는 목적을 위해 동료 인간과 서로 수평적으로 결합하는 조직을 만들었어.
이 새로운 형태의 조직은 '합리적으로 운영되는 전문화된 직업노동 조직' 이야.
여기서 '합리적'이라는 말은 어떤 목적을 가장 잘 달성할 수 있는 방법이라는 뜻이야.
능력 있어 보이는군.
전통적인 조직은 대체로 혈연, 지연, 인정, 신분 등과 같은 요소들에 의해 형성되었어.
근데….
삼촌~♡
저놈이 나랑 피가 섞였나?
고향이 같은가?
나랑 얼마나 오래 사귀었지?
상놈이야, 양반이야?
그러니 조직이 합리적으로 운영될 수 없었어.
너로 정했다.

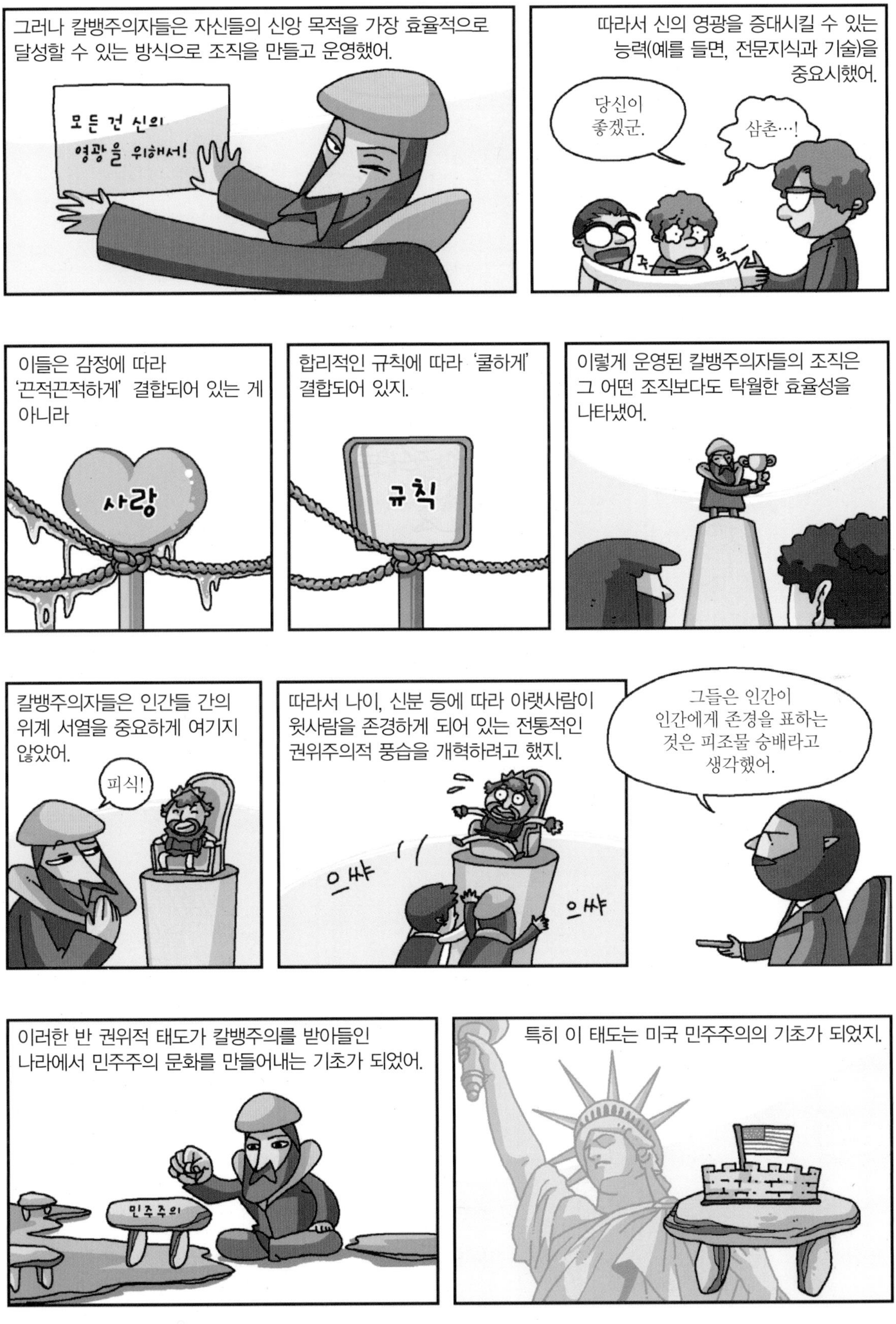

그러나 칼뱅주의자들은 자신들의 신앙 목적을 가장 효율적으로 달성할 수 있는 방식으로 조직을 만들고 운영했어.
모든 건 신의 영광을 위해서!
따라서 신의 영광을 증대시킬 수 있는 능력(예를 들면, 전문지식과 기술)을 중요시했어.
당신이 좋겠군.
삼촌…!
이들은 감정에 따라 '끈적끈적하게' 결합되어 있는 게 아니라
사랑
합리적인 규칙에 따라 '쿨하게' 결합되어 있지.
규칙
이렇게 운영된 칼뱅주의자들의 조직은 그 어떤 조직보다도 탁월한 효율성을 나타냈어.
칼뱅주의자들은 인간들 간의 위계 서열을 중요하게 여기지 않았어.
피식!
따라서 나이, 신분 등에 따라 아랫사람이 윗사람을 존경하게 되어 있는 전통적인 권위주의적 풍습을 개혁하려고 했지.
으쌰
으쌰
그들은 인간이 인간에게 존경을 표하는 것은 피조물 숭배라고 생각했어.
이러한 반 권위적 태도가 칼뱅주의를 받아들인 나라에서 민주주의 문화를 만들어내는 기초가 되었어.
민주주의
특히 이 태도는 미국 민주주의의 기초가 되었지.

만약 사장과 점원이 놀이를 하게 되었다고 쳐 봐.
이때 사장이 점원을 완전히 동등하게 대우하지 않는다면 점원은 매우 불쾌하게 생각해.
내가 사장인데 한 수만 양보하지?
헐
이것은 미국 군대 문화에서도 잘 나타나.
충성!
근무 시간에는 정해진 규칙에 따라 상사가 부하에게 명령을 내릴 수 있지만
열중쉬어! 차려!
근무 시간이 끝나면 서로 평등한 관계로 되돌아오지.
뿐만 아니라 도움을 줄 때에도 평등해야 해. 만약 사장이 점원에게 지위의 차이를 나타내는 방식으로 도움을 베푼다면
사장이니까 내가 낼게.
점원은 매우 불쾌하게 생각할 거야.
권위주의적인 문화를 갖고 있는 독일에서는
사장이 점원과 당구를 함께 치기만 해도 부하들을 잘 대해 주는 훌륭한 사장으로 존경받아.

토크빌*이라는 사람이 미국을 방문한 후, 《미국의 민주주의》라는 책을 썼는데
그는 미국의 모든 사람들이 서로를 평등하게 대하는 모습을 잘 묘사했어.
청도교들은 이런 반 권위적 태도 때문에 유럽에서 많은 탄압을 받았는데 말이야.

*토크빌 Alexis Tocqueville 1805~1859 – 프랑스의 정치가, 역사가.

칼뱅주의자들은 정직하고 근면하며 성실하게 일해서 직업에서 성공하는 것이 신의 영광을 증대시킬 수 있는 가장 좋은 방법이라고 생각했어.
성실
근면
정직
MAX
신의 영광
이것이 그 유명한 칼뱅주의의 직업 소명론이야.
직업은 신이 그의 영광을 나타내기 위해 부른 일터라는 거야.
직업게시판
구인
사람 구합니다
구직란
그들은 이 직업 소명론을 바탕으로 전문화된 직업조직을 발전시킬 수 있었어.
'전문화'는 다른 말로 분업이라고도 해.
빡
일을 나누어서 각자가 가장 잘할 수 있는 것에만 전문적으로 집중하는 것을 말해.
난 보는 거.
난 냄새 맡기!
난 말을 할 수 있어.
일의 효율성이 훨씬 높아지지.

애덤 스미스*는 《국부론》이라는 유명한 책에서 분업의 효율성을 핀 제조업을 예로 들어 증명했어.
하루에 핀을 몇 개 만들 수 있지?
아무리 많아도 한 사람당 20개 정도…?
다섯 명이 일하면 하루 100개쯤인가?
하지만 첫째 사람은 철사를 잡아 늘이고,
둘째 사람은 철사를 곧게 펴며,
셋째 사람은 철사를 끊고,
넷째 사람은 끝을 뾰족하게 하고,
다섯째 사람은 머리를 붙이기 위해 끝을 문지르고,
문질
문질
이런 식으로 분업해서 핀을 만들면 한 사람이 4,800개를 만들 수 있어.
일의 효율성이 엄청나잖아!
칼뱅주의자들은 자기 분야에서 최고 전문가가 되는 것이 신의 영광을 증대시키는 가장 좋은 방법이라고 생각했어.
난 전문가!
또, 그것이 가난한 자에게 자선을 베푸는 것보다 더 이웃을 사랑하는 길이라고 생각했지.
0
MAX
다음과 같은 두 종류의 의사가 있다고 생각해 봐.
누가 더 이웃을 사랑하는 사람일까?

*애덤 스미스 Adam Smith 1723~1790 – 영국의 경제학자, 윤리학자.

한 의사는 자신의 직업에 아주 정직하고 성실해.
그는 치료비를 정직하게 받고
새로운 지식과 기술을 연구하고 배워서
환자들을 잘 치료하며 최선의 서비스를 제공해.
하지만 그는 주위의 불행한 사람들에게는 인색해서 도움의 손길을 잘 주지 않아.
한푼만 줍쇼….
다른 한 의사는 자신의 직업에 불성실하고 정직하지 못해.
그는 치료비를 지나치게 많이 받고
공부와 연구에 게을러 환자를 제대로 치료하지 못하는 데다가
어라? 감기가 아닌가?
불친절하기까지 해. 그래서 환자들은 그의 치료를 불만스러워하지.
하지만 그는 주위의 가난한 사람들에게 잘 베풀어.

굳이 선택하자면 이들 중 누가 더 이웃을 사랑하는 사람일까?
칼뱅주의자들은 첫 번째 의사를 선택했어.
그들은 직업 정신에 투철한 전문가를 훌륭한 시민이라고 생각했지.
그들은 이 생각을 다른 모든 종류의 직업에 적용했어.
자기 직업에 소명의식을 갖는 훌륭한 직업인이 되는 것과 가난한 이웃에게 자선을 베푸는 것은
모두 이웃을 사랑하는 방법이야.
집을 짓는 것에 비유하면, 훌륭한 직업인이 되는 것은 기둥을 잘 세워 튼튼한 집을 짓는 것과 같아.
가난한 이웃을 돕는 것은 집의 실내장식을 잘 꾸미는 것과 같지.
튼튼하게 잘 지어지고 실내장식이 잘 꾸며진 집에 사는 것은 참으로 기분 좋은 일일 거야.
한국사회가 이 집과 같이 된다면 지금보다 훨씬 멋진 사회가 될 거야.

5. 칼뱅주의와 금욕적인 자기 통제

그러면 칼뱅주의자들은 자신이 신에 의해 선택되었다는 것을 어떻게 확신할 수 있을까?

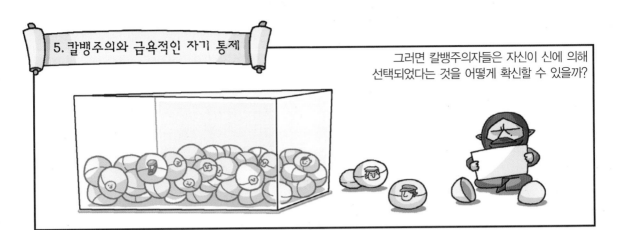

여러분이 사는 시대에는 종교적인 분위기가 별로 없어서

기독교인이라 하더라도 내세에서의 구원을 별로 중요하게 생각하지 않을지도 몰라.

그러나 16세기와 17세기의 칼뱅주의자들에게 구원은 매우 중요한 문제였어.
?

따라서 자신이 구원되었는지 구원되지 못했는지에 대해 매우 큰 관심을 가졌지.
꿀
꺽

신은 선택받은 자와 저주받은 자에게 특별한 표시를 해둔 게 아니거든.
사람의 눈으로 볼 때, 둘은 전혀 다르지 않아.

칼뱅은 신이 모든 사람의 운명을 예정해 놓은 것은 사실이지만

누가 구원받고 누가 저주받았는지는 알 수 없다고 했어.
비밀♪

그것은 전적으로 신의 결정이며
인간은 신의 결정을 결코 알 수도 없고 알려고 해서도 안 된다고 했어.
그것은 신의 비밀을 침범하는 불경한 시도라고까지 경고했지.
칼뱅에게는 선택받았는지 저주받았는지가 별 문제가 되지 않았어.
왜일까?
그건 자신이 선택되었다는 강한 확신을 갖고 있었기 때문이야.
역시 나는 선택된 것이 틀림없어.
만약 내가 선택받지 못했다면 의심이 생기지 않겠어?
의심
펑
그런데 내 마음에는 그런 의심이 전혀 안 일어나거든.
칼뱅은 참된 믿음을 가지면 전혀 의심이 일어나지 않는다고 생각했어.
내마음
의심
그러나 일반 신도들은 이런 굳건한 믿음을 갖는 것이 불가능했어.
그들은 어떻게 해서라도 자신이 확실히 구원받았다는 사실을 알고 싶어 했지.
아, 궁금해 미치겠네. 나는 정말 구원받았을까?
만약 내가 저주를…! 아, 생각하기도 싫어.

자꾸
알고 싶어져….
신도들의 이러한 궁금증과 고민에 대해 목사들은 나름대로 답을 해줄 필요가 있었어.
음~
목사들이 제시한 해결책은 두 가지였어.
하나는 칼뱅처럼 스스로 구원받았다고 확신하고 모든 의심을 악마의 유혹으로 여기라는 것이었어.
네가 구원받는단 증거 있어?
실제로 많은 칼뱅주의자들이 이러한 확신을 갖고 있었어.
신을 믿는다.
꽥!
이런 믿음을 가진 사람에게 예정론은 공포와 불안이기보다는
평온하고 흔들리지 않는 신뢰의 기반이 되었어.
이러한 자기 확신은 칼뱅주의자들을 강력한 행동주의자들로 만들었지.
부르릉
이것이냐 저것이냐, 죽느냐 사느냐!
바보야, 이쪽이야.
이런 문제로 고민하지 않고 용감하고 담대하게 자신의 길을 걸어가는 개척자가 될 수 있었지.
지구는 둥그니까

인생을 살아가면서 어떠한 어려움을 당하더라도
신이 나를 지옥에 보낸다 하더라도 나는 기뻐할 것이다.
신이 나와 함께하면서 구원으로 인도할 것이라는 믿음은 사람들에게 '강철 같은 의지'를 제공하게 돼.
거기에서도 내가 할 일이 있을 테니까.
미국의 개척자들이 이런 강한 신앙을 소유한 사람들이었어.
허드슨이라는 사람은 초기 미국 개척자들에 대해 다음과 같은 글을 쓴 적이 있어.
제네바는 스위스에 있는 도시로 칼뱅이 종교개혁을 시작한 곳이야.
미국의 프로테스탄트에 가장 깊은 자국을 남긴 것은 제네바의 각인이었다.
미국의 프로테스탄트에 가장 깊은 자국을 남긴 것은 제네바의 각인이었다.
칼뱅주의는 황야를 개척하려고 투쟁하는 인간들에게 필요한 신앙을 제공하였다.
그들은 끊임없이 샘솟는 에너지와 확고한 자신감으로 거친 황야를 정복하였다.
그러나 아무리 자신의 구원에 대해 확실성을 갖고 있다 하더라도 악마는 신자의 귓가에 다음과 같이 속삭일 수 있어.
무슨 근거로 구원을 확신하는 거야?
근거를 대보라고! 그렇지 못하면 너는 저주받은 운명일 수도 있어.

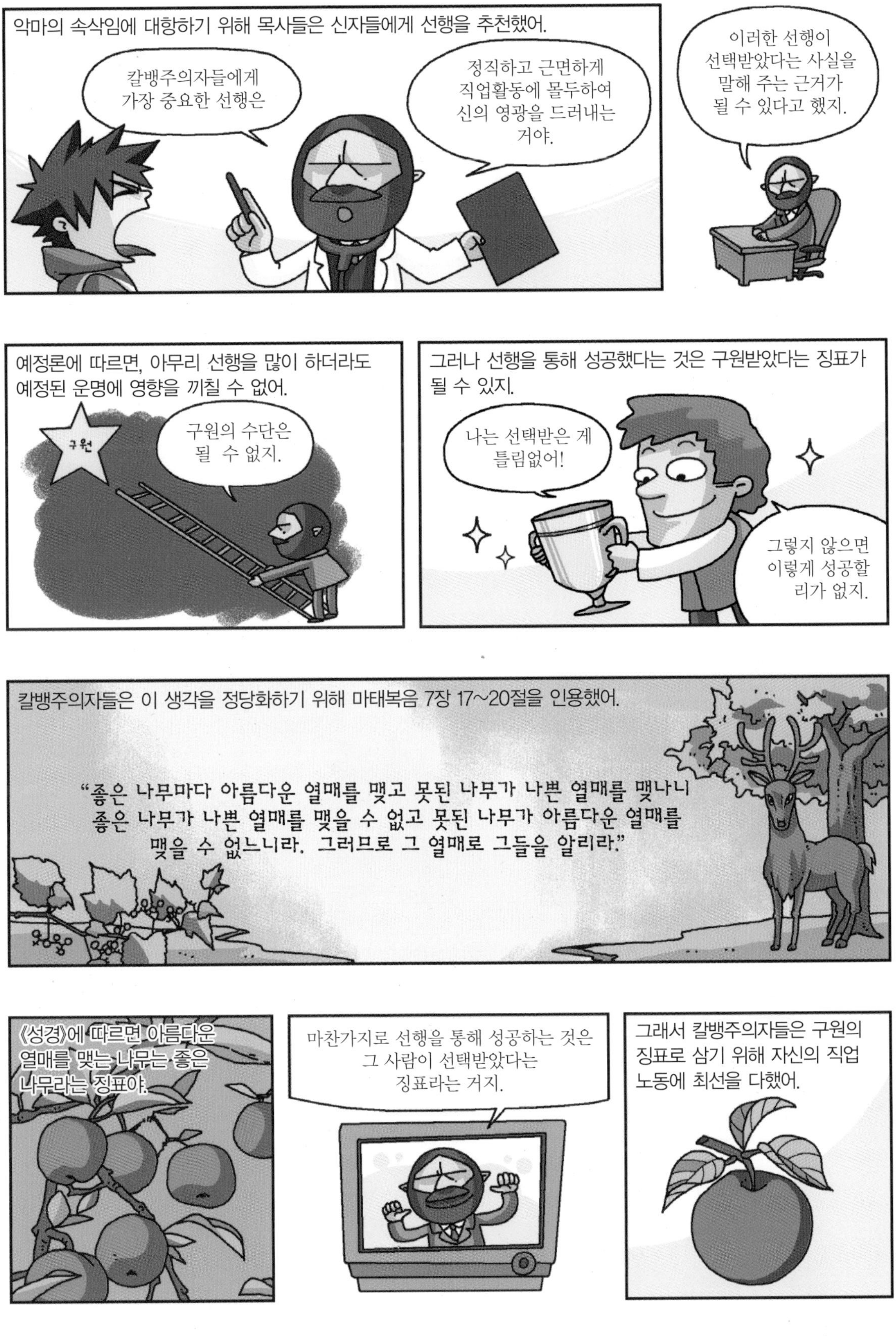
악마의 속삭임에 대항하기 위해 목사들은 신자들에게 선행을 추천했어.
칼뱅주의자들에게 가장 중요한 선행은
정직하고 근면하게 직업활동에 몰두하여 신의 영광을 드러내는 거야.
이러한 선행이 선택받았다는 사실을 말해 주는 근거가 될 수 있다고 했지.
예정론에 따르면, 아무리 선행을 많이 하더라도 예정된 운명에 영향을 끼칠 수 없어.
구원
구원의 수단은 될 수 없지.
그러나 선행을 통해 성공했다는 것은 구원받았다는 징표가 될 수 있지.
나는 선택받은 게 틀림없어!
그렇지 않으면 이렇게 성공할 리가 없지.
칼뱅주의자들은 이 생각을 정당화하기 위해 마태복음 7장 17~20절을 인용했어.
"좋은 나무마다 아름다운 열매를 맺고 못된 나무가 나쁜 열매를 맺나니 좋은 나무가 나쁜 열매를 맺을 수 없고 못된 나무가 아름다운 열매를 맺을 수 없느니라. 그러므로 그 열매로 그들을 알리라."
《성경》에 따르면 아름다운 열매를 맺는 나무는 좋은 나무라는 징표야.
마찬가지로 선행을 통해 성공하는 것은 그 사람이 선택받았다는 징표라는 거지.
그래서 칼뱅주의자들은 구원의 징표로 삼기 위해 자신의 직업 노동에 최선을 다했어.

구원받았다는 징표가 되기 위해서는 마음 내킬 때마다 이따금씩 선행을 해서는 안 돼.
!
'가물에 콩 나듯' 하는 선행은 구원받았다는 징표가 될 수 없어.
아름다운 열매 몇 개 열렸다고 그 나무를 좋은 나무라고 말할 수 없듯이 말이야.
제비가 몇 마리 왔다고 해서 봄이 왔다고 할 수 없겠지?
길 잃은 제비일 수도 있거든.
엄마~
봄이 왔다고 말하려면 많은 제비가 몰려와야 해.
좋은 나무라고 말할 수 있기 위해서는 아름다운 열매들이 주렁주렁 열려야지.
따라서 구원받았다는 징표가 되기 위해서는 일생 동안 지속적으로 선행을 하여 하나님께 많은 영광을 돌릴 수 있어야 해.
선행
선행
선행
선행
이렇게 하기 위해서는 생활계획표를 꼼꼼하게 만들어 계획대로 살고 있는지 잘 점검해야 해.
1분 1초라도 헛되이 낭비해서는 안 돼.
째깍
째깍
째깍
감정적 충동에 따라 무계획적으로 행동해서는 선행을 지속적으로 행할 수 없어.
끄악! 시간이!

계획표대로 자신의 욕망과 성격을 잘 지배하고 통제할 수 있는 금욕적인 행동이 필요해.
욕망
성격

칼뱅주의자들은 선행을 위해 자신의 삶 전체를 철저히 잘 관리해야 해.
안전
욕망

왜냐하면 칼뱅주의의 신은 신자들에게 '개별적인 선행'이 아니라 '전체적인 선한 삶'을 요구하기 때문이야.

탄생
죽음

개별적인 선행이 아니라 전체적인 선한 삶을 요구한다는 말이 좀 어렵지?

어렵지만 중요한 내용이니까 잘 알아둬야 해.

이해하기 쉽게 가톨릭과 비교해 설명해 줄게.
가톨릭

가톨릭은 '개별적인 선행'을 요구하는 종교야.

가톨릭에서는 인간을 선행을 할 수도 있고 악행을 할 수도 있는 존재로 보았어.

그리고 일생 동안 행한 것들을 모두 계산하여 선행이 악행보다 많으면 구원된다고 생각했지.
선행
악행
마치 은행에 돈을 저금하기도 하고 빌려 쓰기도 하면서
은행창구
저금한 돈이 빌려 쓴 돈보다 많도록 노력하는 것과 같아.
잔고 : 100원
그러한 이유로 악행을 많이 했더라도 이를 만회하는 선행을 하면 그 악행이 지워지지.
거기 서라!
악행 한 번에 기부금을 얼마씩 내면 되지?
또 악행을 많이 해 구원될 가망이 없는 사람들은
죄가 너무 많아 계산이 안 되는걸.
죄악
악행
성직자를 찾아가 죄를 고백하면 그 죄가 용서된다고 보았어.

따라서 가톨릭 신자들은 인생을 '죄 지음 → 회개함 → 성직자가 죄를 용서해 줌 → 죄에서 해방됨 → 죄 지음'을 반복하는 과정으로 봐.

도둑이야!

그러나 칼뱅주의는 '전체적인 선한 삶'을 요구해.
칼뱅주의자들은 다른 사람들에게 자신이 선택된 사람이라는 사실을 선한 행위를 함으로써 '증명'하려고 했어.
왕이란 증거를 대세요.
어떤 것이 사실인지 사실이 아닌지를 밝히는 것을 증명이라고 해.
당신이 선택받았다고 믿는다면 행동으로 증명해 보시오.
당신이 매사에 선한 행동을 한다면 선택받은 사람임을 믿겠소.
칼뱅주의자들은 이런 증명을 위해 순간마다 선과 악의 싸움에서 악을 억제하고
바둥바둥
바둥바둥
선을 행하는 방식으로 자신의 삶 전체를 아주 계획적으로 꼼꼼히 관리해야 했어.
앨범
그들은 극도의 긴장감 속에서 살아가야 했지.
오점 하나라도 생기면 자신이 선택받았다는 사실을 확신할 수 없어.
그들은 스스로를 잘 다스리고 통제해서 오점이 안 생기도록 해야 해.

가톨릭에서는 신부를 찾아가 죄를
고백하면 용서된다는 탈출구가 있었지만
칼뱅주의는 이러한 긴장감을
해소할 수 있는 다른 탈출구가 없었지.
미신을 모두
없애 버렸거든!

남아 있는 유일한 길은 자신의 인생 전체가 선한 삶이 되도록 관리하는 방법뿐이야.

다시 한 번 강조하자면, 칼뱅주의자들은 자신이
선택받은 인간임을 선한 행위를 통해 보여줌으로써
객관적으로 증명해야만 했어.

자신의 행위를 통해 자신의 구원에
대한 확신을 스스로 만들어야 했어.
?
말이 좀 어려운가?
쉽게 말하면 선한 행위를 하는 데 성공한다면
신에게서 구원받은 사람임을 확신할 수
있다는 의미야.
선한행동

이런 점에서 칼뱅주의자들에게 신은 스스로 돕는 자를 돕는 신이야.
여러분이 처음 예정론에 대해 들었을 때 어떤 생각이 들었어?
사람들을 자신의 운명을 체념하고 심판을 기다리는 소극적인 사람으로 만들 것 같았어?
아니면 자신의 운명을 개척해 가는 적극적인 사람으로 만들 것 같았어?
처음에는 소극적인 사람으로 만들 것 같았어요.
그런데 설명을 듣고 보니 예정론이 정말 적극적으로 행동하는 사람들을 만들어냈네요.
그래. 이처럼 반대되는 결과를 만들어내는 것을 어려운 말로 '역설적' 이라고 하지.
자, 우리는 지금까지 칼뱅주의의 중심교리와 그것이 서구문화에 끼친 영향을 알아보았어.
칼뱅주의의 중심교리
서구문화
이제 우리의 목표인 '칼뱅주의와 자본주의 정신의 관계' 에 대해 살펴보러 가야지?
칼뱅주의
자본주의 정신
얼마 안 남았으니 힘내자고!

제7장 칼뱅주의와 자본주의 정신의 관계

여태껏 나를 따라오느라고 고생했어.
어때? 이 책이 마음에 들어?
예! 그렇게 재미있는 것은 아니지만 뭔가 의미 깊은 지식을 얻고 있다는 자부심이 생겨요!
그렇지! 모든 일을 재미로만 할 수는 없잖아?
그래도 재미가 전혀 없는 건 아니지…?
예!

자, 드디어 우리의 목적지가 눈앞에 보여.
목표
이제 제7장에서 이 책이 목표 삼은 '칼뱅주의와 자본주의 정신의 관계'를 자세히 살펴볼 거야.
지금까지는 이 목적지에 오르기 위한 준비과정이었어.
이미 칼뱅주의와 자본주의 정신의 관계를 어느 정도 눈치 챈 친구들도 있겠지?
칼뱅주의
자본주의 정신
조금만 더 힘을 내자고.
정상
고지가 바로 저기인데 멈출 수는 없잖아?
자~ 출발하기 전에 복습할 겸 문제를 낼게.
제4장에서 살펴본 자본주의 정신의 두 가지 핵심 요소가 뭘까?
'직업노동'과 '이익추구'요!
자본주의 정신은 직업노동과 이익추구를 도덕적으로 매우 높이 평가하는 것이에요.
원더풀! 아주 잘했어요!
너희들이 이렇게 집중해 주니 이 아저씨가 신이 나는구나.
자, 빨리 올라가자!
정상

참, 올라가기 전에 미리
말해 둘 것이 있는데,
?
제4장에서 자본주의 정신을
설명할 때 대표자로 프랭클린의 글을
인용했잖아?
절약, 검소
시간은
신용
여기 제7장에서는 또 한 명의 대표자를
중점으로 다룰 거야.
백스터*
라고 해.

*백스터 Richard Baxter 1615~1691 - 영국의 청교도 신학자.

백스터는 영국 청교도를 대표하는 사상가들 중 탁월한
인물이라고 할 수 있어.
칼뱅주의자
그는 온건한
칼뱅주의자였어.
이 책에서는 칼뱅주의와 청교도를 같은 것으로
취급하고 있는 거 알지?
영국과 미국에서
칼뱅의 사상을 따르는
무리를 청교도라고
불러.
청교도
청교도

백스터의 책은 청교도에게 널리
읽혀지고 있어.
그는 그와 생각이 다른 사람들에게도
관대했고
적들에게도 공정한 입장을 취한
인물이야.

그의 책 《기독교 지침서》는 청교도 윤리를 가장 포괄적으로 담고 있는
교과서라고 할 수 있어.
청교도
윤리
그가 쓴 《성도의 영원한 안식》도
널리 알려진 책이지.
성도의
영원한 안식

1. 칼뱅주의와 직업노동
백스터는 그의 책에서 노동의 중요성을 열정적으로 강조하고 있어.
노동
그는 육체노동과 정신노동을 모두 중요하게 여겼어.
그는 직업에 게으른 사람들은 신을 위해 하는 일이 없는 사람들이라고 비난했어.
이 때문에 그는 명상하면서 시간을 보내는 것을 좋게 보지 않았지.
직업노동에서 신의 뜻을 적극적으로 실현하는 것보다 신을 기쁘게 하는 것은 없다고 보았어.
노동
백스터에 따르면
직업노동은 두 가지 점에서 유익해.
꿩 먹고 알 먹고.
하나는 직업노동이 금욕적 수단이 되는 거야.
특히 청교도들은 직업노동을 성공적으로 하는 것이 방탕한 생활과 모든 유혹을 물리칠 수 있는 훌륭한 예방책이라고 생각했어.
바쁘다, 바빠!
오락실

청교도들은 성적 욕망을 억제하는 데 관심이 많았어.
그들은 부부 간이라도 성행위를 《성경》의 말씀에 따라 자손을 번식시키는 것에만 한정했어.
백스터는 모든 성적 유혹을 이기기 위해서 “네 직업에 충실하라.”는 설교를 자주 했어.
직업
여러분이 알기 쉽게 우리나라의 예를 들어볼까? 한국의 시골에 아직 버스가 거의 다니지 않을 때, 한 마을에 버스가 다니기 시작했대.
그런데 신기해서 그런지 아니면 다른 이유가 있었는지
와아아~
초등학생들이 버스를 향해 돌멩이를 자꾸 던졌다는 거야.
으악!
창문이 깨지고 유리 파편에 손님들이 다치기도 했어.
쨍그랑
버스 회사에서는 초등학교에 도움을 요청했어.
아이들이 돌을 던지지 않게 교육해 주세요.
그러나 아무리 알아듣게 설명해도 자꾸 돌멩이를 던지는 거야.

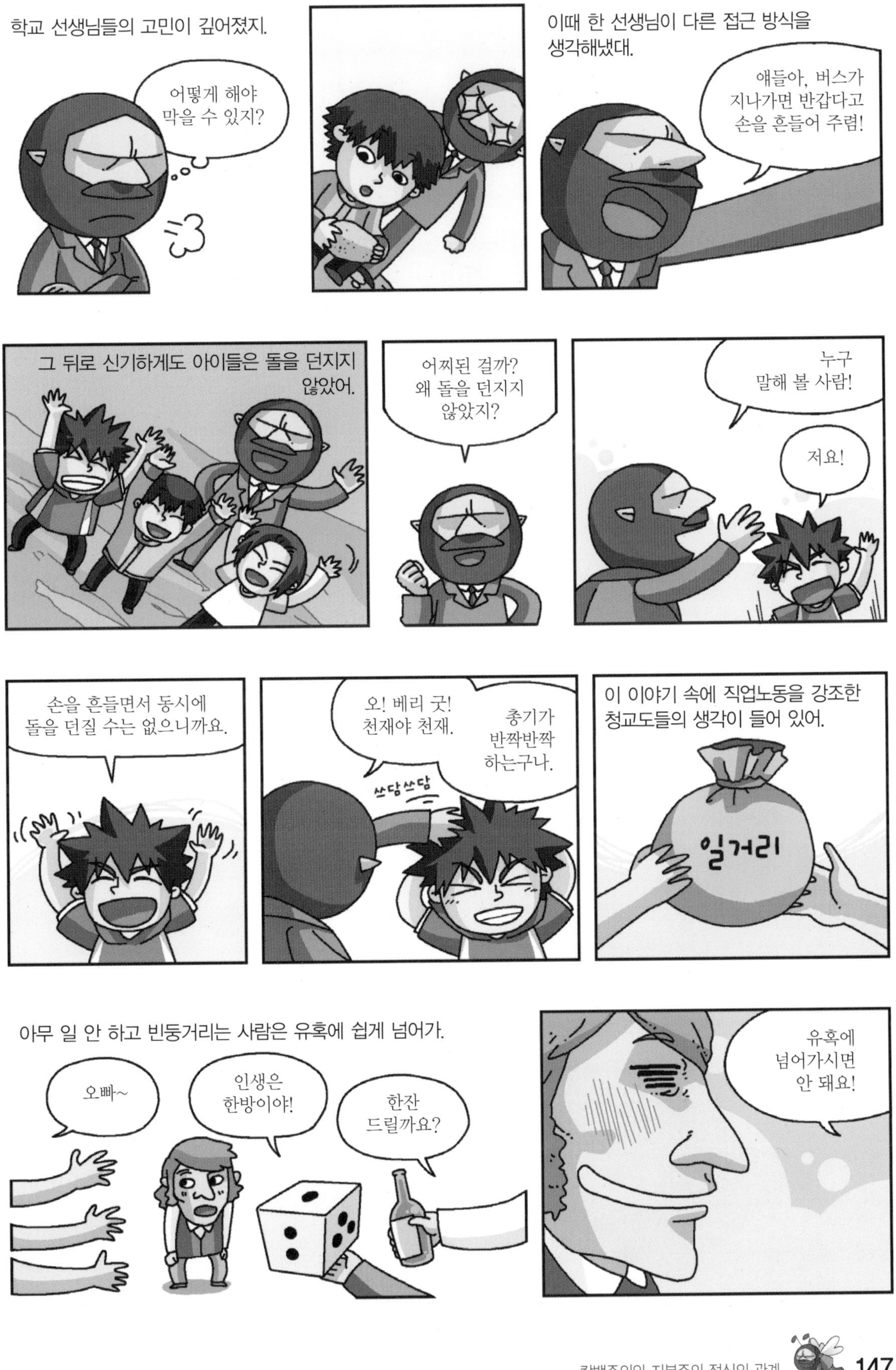
학교 선생님들의 고민이 깊어졌지.
어떻게 해야 막을 수 있지?
이때 한 선생님이 다른 접근 방식을 생각해냈대.
얘들아, 버스가 지나가면 반갑다고 손을 흔들어 주렴!
그 뒤로 신기하게도 아이들은 돌을 던지지 않았어.
어찌된 걸까? 왜 돌을 던지지 않았지?
누구 말해 볼 사람!
저요!
손을 흔들면서 동시에 돌을 던질 수는 없으니까요.
오! 베리 굿! 천재야 천재.
총기가 반짝반짝 하는구나.
쓰담쓰담
이 이야기 속에 직업노동을 강조한 청교도들의 생각이 들어 있어.
일거리
아무 일 안 하고 빈둥거리는 사람은 유혹에 쉽게 넘어가.
오빠~
인생은 한방이야!
한잔 드릴까요?
유혹에 넘어가시면 안 돼요!

이들에게 아무리 신세를 망친다고 설명해도 이들은 그 유혹을 이길 수 없어.
알고는 있는데 유혹을 이길 수 없어. 흑흑.
그러나 일을 열심히 하면 모든 유혹을 한꺼번에 다 물리칠 수 있어.
유혹
유혹
유혹
일에 열중해 있는 사람은 다른 생각이 안 나거든.
유혹
유혹
유혹
마치 아이들이 돌을 던질 손이 없는 것처럼 말이야.
직업노동은 이처럼 유혹을 이기는 것뿐만이 아니라 신의 뜻을 적극적으로 수행하는 수단이었어.
앞에서도 말했지?
신의 영광을 증대시키는 수단이 직업 노동이라고.
신의 영광
《성경》에 "일하지 않는 자는 먹지도 말라."는 말이 있어.
귀찮아….
백스터에게 노동을 싫어한다는 것은 신앙이 부족하다는 증거였어.

노동에 대한 이러한 강조가 칼뱅주의와
가톨릭이 크게 다른 점 중 하나야.
아퀴나스*는 유명한 중세 사상가로 가톨릭 사상을 완성한
가톨릭 최고의 사상가인데
가톨릭사상

*아퀴나스 Thomas Aquinas 1225~1274 – 이탈리아의 신학자, 철학자.

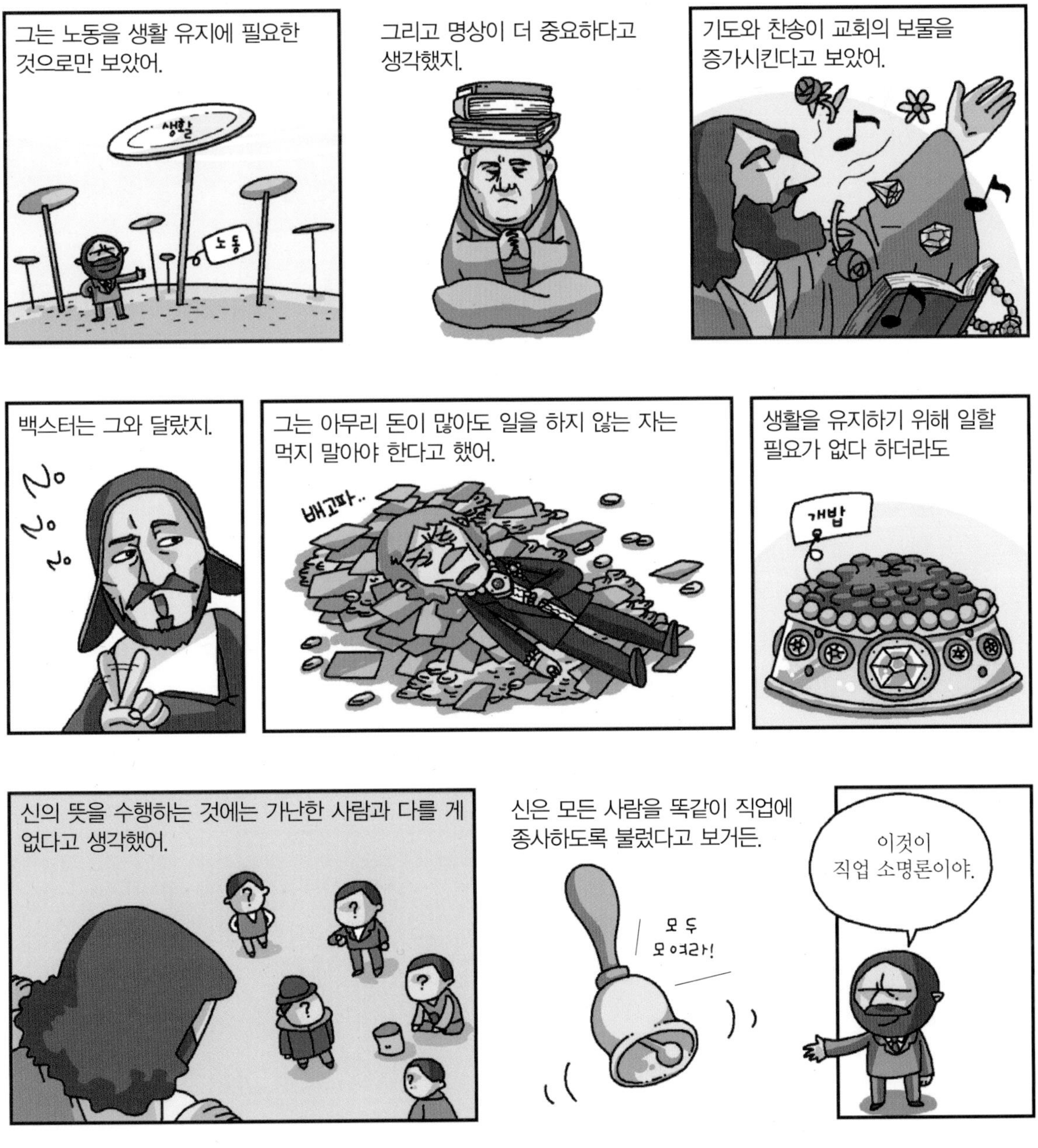
그는 노동을 생활 유지에 필요한
것으로만 보았어.
생활
노동
그리고 명상이 더 중요하다고
생각했지.
기도와 찬송이 교회의 보물을
증가시킨다고 보았어.
백스터는 그와 달랐지.
그는 아무리 돈이 많아도 일을 하지 않는 자는
먹지 말아야 한다고 했어.
배고파..
생활을 유지하기 위해 일할
필요가 없다 하더라도
개밥
신의 뜻을 수행하는 것에는 가난한 사람과 다를 게
없다고 생각했어.
신은 모든 사람을 똑같이 직업에
종사하도록 불렀다고 보거든.
모두
모여라!
이것이
직업 소명론이야.

그러므로 사람은 신의 부르심을 깨달아 직업 노동에 종사해야 한다는 거야.
신의 영광을 위해 일하는 것은 모든 사람에게 내린 신의 명령이야.
제5장에서 보았지만 직업 소명론은 루터가 먼저 제시한 거야.
그러나 그는 소극적이고 수동적이었지.
그는 신이 모든 사람에게 특정한 신분과 직업을 주었으므로 자신의 신분과 직업에서 벗어나지 말라고 가르쳤어.
신분
직업
그러나 칼뱅은 루터가 제시한 직업 소명론을 적극적이고 능동적으로 발전시켰어.
신은 사람들을 특정한 신분과 직업에 묶어둔 것이 아니라 자유롭게 자신이 원하는 직업을 선택할 수 있도록 했다는 거지.
훅
직업
신분
훅
신분
따라서 누구나 자신의 능력에 맞는 일을 찾아 이동할 수 있다는 거야.

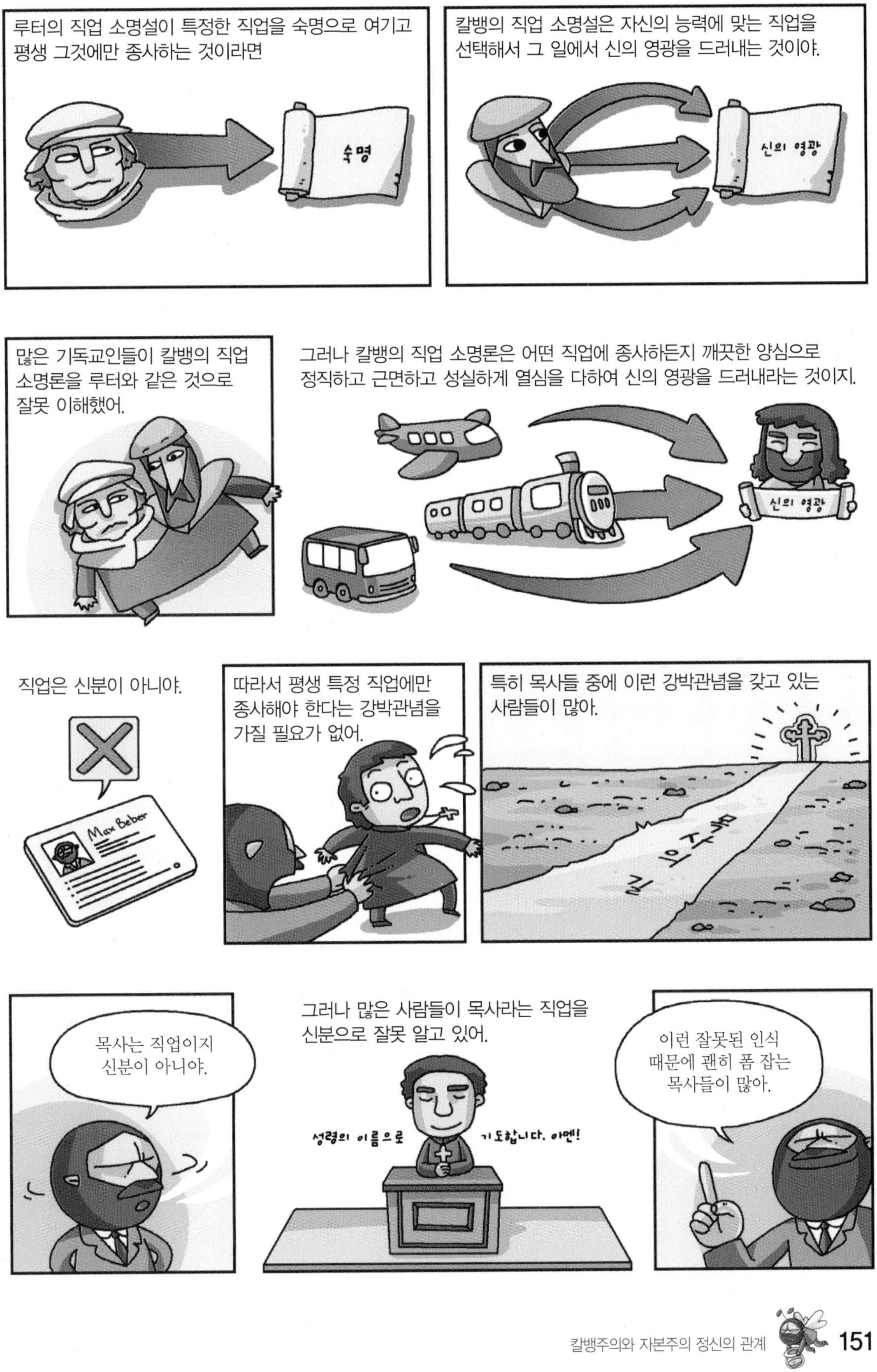

루터의 직업 소명설이 특정한 직업을 숙명으로 여기고 평생 그것에만 종사하는 것이라면
숙명
칼뱅의 직업 소명설은 자신의 능력에 맞는 직업을 선택해서 그 일에서 신의 영광을 드러내는 것이야.
신의 영광
많은 기독교인들이 칼뱅의 직업 소명론을 루터와 같은 것으로 잘못 이해했어.
그러나 칼뱅의 직업 소명론은 어떤 직업에 종사하든지 깨끗한 양심으로 정직하고 근면하고 성실하게 열심을 다하여 신의 영광을 드러내라는 것이지.
신의 영광
직업은 신분이 아니야.
Max Beber
따라서 평생 특정 직업에만 종사해야 한다는 강박관념을 가질 필요가 없어.
특히 목사들 중에 이런 강박관념을 갖고 있는 사람들이 많아.
목자의 길
목사는 직업이지 신분이 아니야.
그러나 많은 사람들이 목사라는 직업을 신분으로 잘못 알고 있어.
성령의 이름으로 기도합니다. 아멘!
이런 잘못된 인식 때문에 괜히 폼 잡는 목사들이 많아.

나 목사야,
목사!
그래서 뭐
어쩌라고요…?
목사를 하다가 다른 직업으로 이동하는 것은
직업 소명론에 전혀 어긋난 것이 아니야.
3,000원입니다.

백스터는 직업노동을 열심히 하면 생산물이 많아져 사람들의 생활을 향상시키는 데 크게 기여한다고 말했어.

사회 전체의 복지 수준을
높인다는 거지.
따라서 직업노동에 열중하는 것은
이웃을 사랑하는 셈이 되는 거야.
백스터의 말에 따르면 사람은
뚜렷한 직업이 없으면 지속적이고
규칙적으로 일을 할 수 없으며
게으름으로 시간을 낭비하게 돼.
따라서 확실한 직업이야말로 모든 사람에게 최선의 길인 셈이지.
그는 남에게 해롭지만 않다면
한 사람이 여러 개의 직업을 가질
수도 있다고 보았어.
의사
학자
판사
교사

2. 칼뱅주의와 이익추구

백스터에게 직업의 유용성은 신을 기쁘게 하는 정도와 관계가 있어.

첫째, 도덕적인 조건에 합당한 정도.

둘째, 생산된 물건과 서비스가
공동체에 기여하는 정도.

셋째, 개인에게 이익이 되는 정도.

이 중에서 세 번째가 가장 중요한 기준이야.

청교도들은 신이 인생의 모든 일을 주관하면서
어떤 의도를 가지고 선택받은 자들에게
이익의 길을 열어준다고 믿었어.
열려라, 참깨!

따라서 신자가 이익의 기회를 이용하는 것은 신의 명령을 따르는 거야.

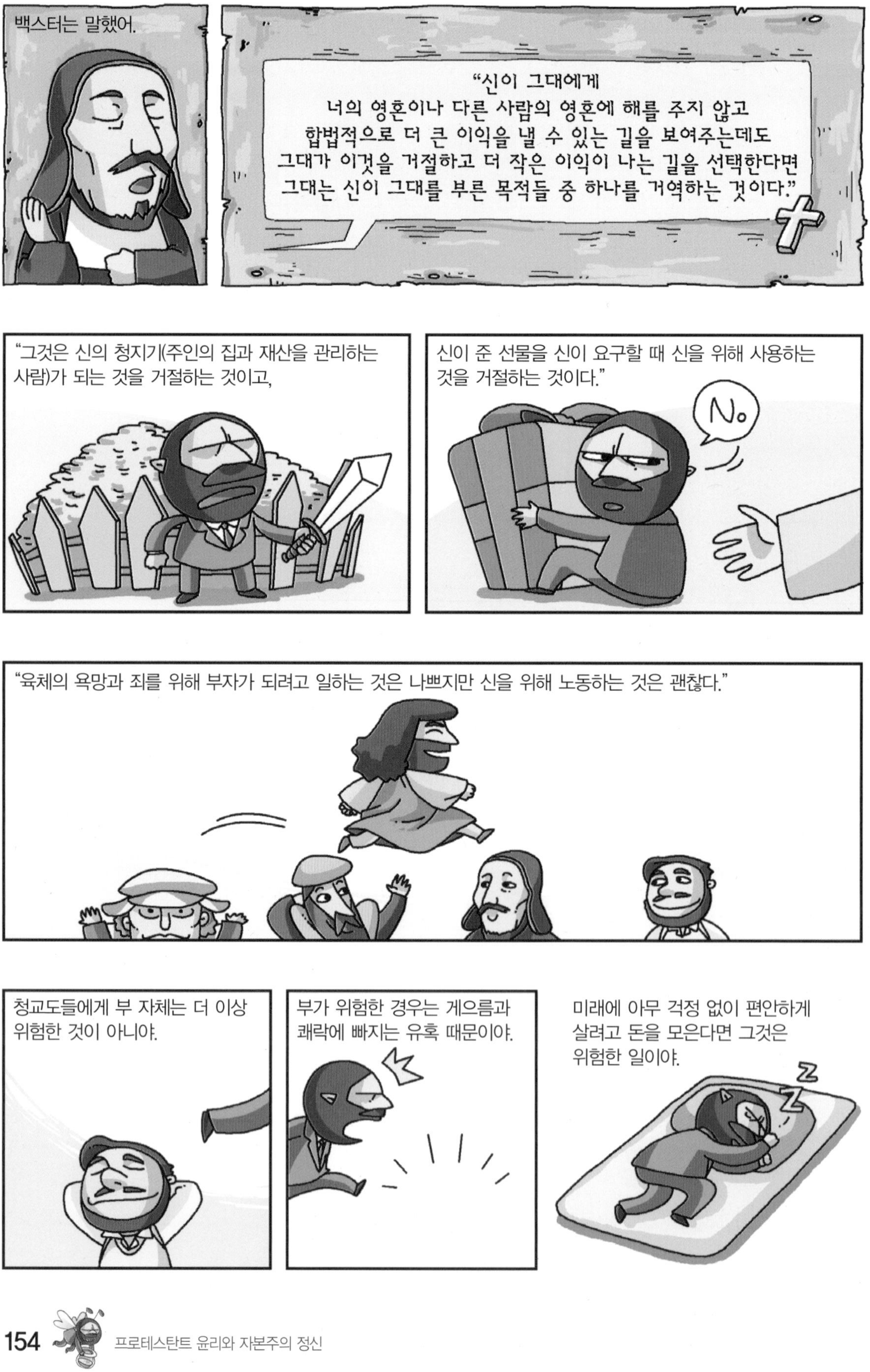
백스터는 말했어.
"신이 그대에게 너의 영혼이나 다른 사람의 영혼에 해를 주지 않고 합법적으로 더 큰 이익을 낼 수 있는 길을 보여주는데도 그대가 이것을 거절하고 더 작은 이익이 나는 길을 선택한다면 그대는 신이 그대를 부른 목적들 중 하나를 거역하는 것이다."
"그것은 신의 청지기(주인의 집과 재산을 관리하는 사람)가 되는 것을 거절하는 것이고,
신이 준 선물을 신이 요구할 때 신을 위해 사용하는 것을 거절하는 것이다."
No
"육체의 욕망과 죄를 위해 부자가 되려고 일하는 것은 나쁘지만 신을 위해 노동하는 것은 괜찮다."
청교도들에게 부 자체는 더 이상 위험한 것이 아니야.
부가 위험한 경우는 게으름과 쾌락에 빠지는 유혹 때문이야.
미래에 아무 걱정 없이 편안하게 살려고 돈을 모은다면 그것은 위험한 일이야.
Z
Z

하지만 직업에 헌신하여 부자가 된다면
그것은 신의 명령에 따른 것이고
또 도덕적으로 칭찬받을 만한 것이야.
청교도들은 《신약 성경》 마태복음 25장에 나오는
달란트의 비유에서 이러한 교훈을 끌어냈어.
탤런트요?
탤런트는 달란트에서 나온
말이야.
유대의 화폐 단위
또는 재주가 많은
사람들을 뜻해.
《성경》에 나오는 달란트의 비유는 이래.
일이 있어
잠시 집을 떠날 것이다.
너에게는
금 5달란트를
맡기겠다.
5달란트
너희에게도 각각
2달란트와 1달란트를
맡기도록 하지.
2
1
잠깐! 여기서 금 1달란트의
가치를 알아봐야겠지?
예수 시대에 금 1달란트는
금 34kg에 해당하는 것이었어.
34kg
요즘 한국 돈으로 환산하면
25억 원이 넘는 거야.
2020년 12월 현재
금 1kg = 약 7,400만 원

그러니 5달란트는 약 125억 원이고
125억원
5달란트
2달란트는 약 50억 원이 돼.
20억원
2달란트
와~ 그 주인 정말 통 크다….
그치?
이 많은 돈을 받은 종들 중 5달란트를 받은 종과 2달란트를 받은 종은 바로 장사를 시작하여 이윤을 남겼어.
그러나 1달란트를 받은 종은 땅을 파서 그것을 감춰 두었어.
시간이 많이 흘러 주인이 돌아왔지.
내가 맡긴 돈을 어떻게 했느냐?
첫째 종이 대답했어.
주인님, 저는 장사를 해서 5달란트를 남겼습니다.
잘했다. 착하고 충성된 종아.
네가 작은 일에 충성하였으니 내가 큰 것을 네게 맡기겠다. 와서 나의 즐거움에 참여하도록 해라.
주인님, 저도 장사를 해서 2달란트를 남겼습니다.
이에 주인은 첫 번째 종에게 한 것과 똑같은 말을 했어.

주인님, 저는 주인님이 아무 수고도 하지 않고 남이 심고 뿌려 놓은 것을 거두어들이는 지독한 분이라고 알았습니다.
그래서 나는 두려워서 그 돈을 땅에 묻어 두었다가 가져왔습니다.
돈은 여기….
그러자 주인이 화를 내며 말했어.
약하고 게으른 종아! 네가 나를 그런 사람으로 알았느냐?
그렇다면 내 돈을 은행에 맡겼다가 이자와 원금을 함께 나에게 주어야 하지 않느냐?
누구든지 있는 사람은 더 받아 넘치게 되고 없는 사람은 있는 것마저 빼앗길 것이다.
그러더니 1달란트를 빼앗아 10달란트를 가진 사람에게 주었어.
이 쓸데없는 종을 내쫓아 버려라! 거기서 통곡하며 이를 갈 것이다.
청교도들은 5달란트와 2달란트를 받은 종처럼
하나님의 영광을 증대시키기 위해 열심히 이익을 구하려고 했어.

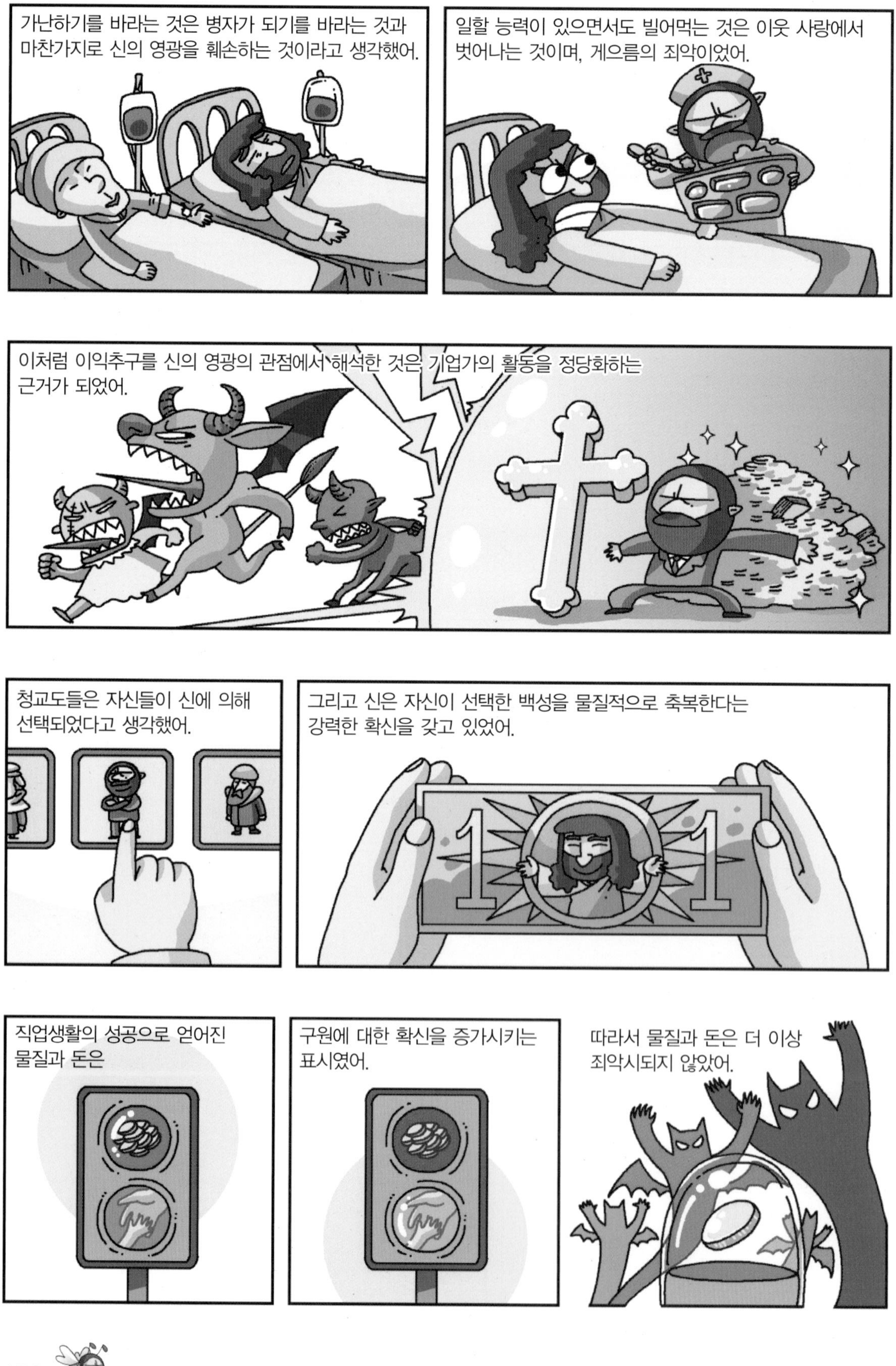
가난하기를 바라는 것은 병자가 되기를 바라는 것과 마찬가지로 신의 영광을 훼손하는 것이라고 생각했어.
일할 능력이 있으면서도 빌어먹는 것은 이웃 사랑에서 벗어나는 것이며, 게으름의 죄악이었어.
이처럼 이익추구를 신의 영광의 관점에서 해석한 것은 기업가의 활동을 정당화하는 근거가 되었어.
청교도들은 자신들이 신에 의해 선택되었다고 생각했어.
그리고 신은 자신이 선택한 백성을 물질적으로 축복한다는 강력한 확신을 갖고 있었어.
직업생활의 성공으로 얻어진 물질과 돈은
구원에 대한 확신을 증가시키는 표시였어.
따라서 물질과 돈은 더 이상 죄악시되지 않았어.

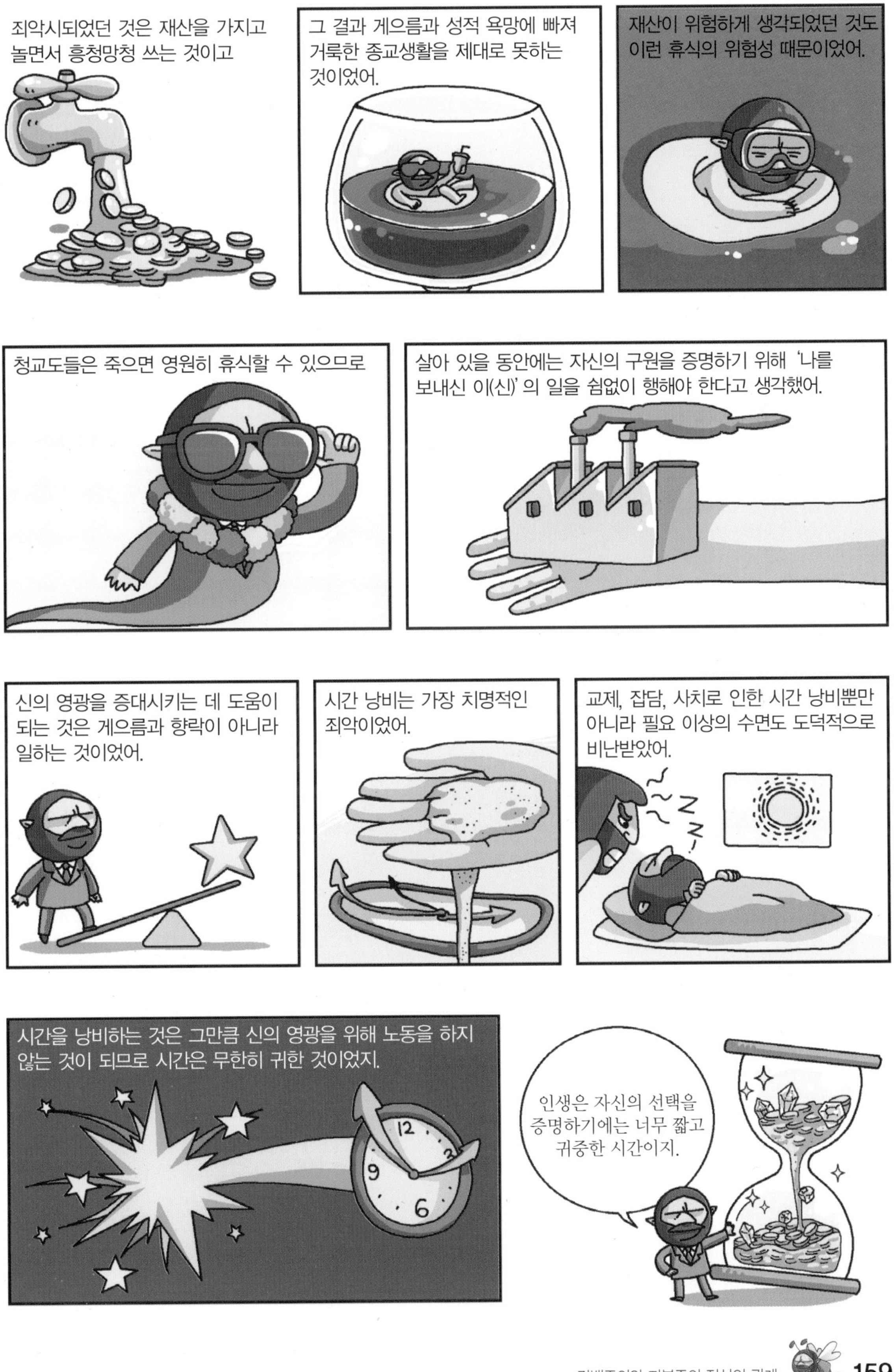
죄악시되었던 것은 재산을 가지고
놀면서 흥청망청 쓰는 것이고
그 결과 게으름과 성적 욕망에 빠져
거룩한 종교생활을 제대로 못하는
것이었어.
재산이 위험하게 생각되었던 것도
이런 휴식의 위험성 때문이었어.
청교도들은 죽으면 영원히 휴식할 수 있으므로
살아 있을 동안에는 자신의 구원을 증명하기 위해 '나를
보내신 이(신)'의 일을 쉼없이 행해야 한다고 생각했어.
신의 영광을 증대시키는 데 도움이
되는 것은 게으름과 향락이 아니라
일하는 것이었어.
시간 낭비는 가장 치명적인
죄악이었어.
교제, 잡담, 사치로 인한 시간 낭비뿐만
아니라 필요 이상의 수면도 도덕적으로
비난받았어.
시간을 낭비하는 것은 그만큼 신의 영광을 위해 노동을 하지
않는 것이 되므로 시간은 무한히 귀한 것이었지.
인생은 자신의 선택을
증명하기에는 너무 짧고
귀중한 시간이지.

3. 칼뱅주의와 쾌락에 대한 혐오
지금까지 말해 왔던 생활태도에 따라 청교도가 있는 힘껏 공격했던 것은
인생에서 쾌락을 즐기는 것이었어.
쾌락에 대한 청교도들의 금욕적 태도는
?!
자본주의적 생활양식의 발전에 직접 영향을 끼친 부분이야.
쾌락에 대한 태도가 가장 뚜렷하게 나타난 것은 《오락에 관한 책》에 대한 투쟁에서야.
오락에 관한 책
영국의 제임스 1세와 그의 아들 찰스 1세는 청교도를 탄압할 목적으로
사람은 머리를 써야 해.
《오락에 관한 책》을 모든 설교 중에 낭독할 것을 법률로 제정했어.
설교를 시작하겠습니다.
이 책에는 예배시간을 제외하고는 일요일 날에도 대중적인 놀이를 허용한다는 왕의 법령이 들어 있었어.
여러분~ 일요일에는 놀아요!
오락을 하면 건강에도 좋고 기분도 즐거워요~.
이렇게 하면 신앙심이 나태해지겠지? 결국 신앙이 파괴될 거야.

청교도는 이에 격렬하게 저항했어.
신도들의 질서정연한 생활을 고의로 흔들어 놓으려는 의도를 갖고 있었기 때문이야.
꽥
이에 대해 왕은 오락의 합법성에 대한 모든 공격을 엄중하게 처벌하겠다고 위협했어.
청교도의 금욕적 특징이 왕의 권위를 위협했기 때문이었어.
청교도는 오락이 육체활동을 하는 데 필요한 휴식을 제공하는 목적에만 이용되어야 한다고 생각했어.
난 너무 지쳤어….
휴식
따라서 그들은 오락이 무절제하고 방탕하게 쾌락을 추구하는 수단으로 사용되는 것을 경계했어.
여러분~ 일요일에는 노세요~.
흥!
만약 오락이 향락, 경기에서의 명예심, 음란한 본능, 비합리적인 도박 충동 등의 수단으로 사용된다면 당연히 거부했지.

직업노동과 종교심을 방해하는 충동적인 향락은
봉건귀족이 즐기는 오락이건
평민들이 즐기는 무도장이나 술집이건
신앙의 적으로 간주되었어.
청교도를 대표하는 지도층은 인문 교양 지식에 대해 관심이 매우 높았고, 수준도 상당했어.
그들 중에는 고전 애호가들이 특히 많았지.
베니스의 상인
셰익스피어의 모든것
Hamlet
로미오와 줄리엣
그러나 지적인 것 외의 감성 예술 영역에 대해서는 완전히 다른 태도를 취했어.

1642년 영국에서 청교도 혁명이 일어나
1649년에 찰스 1세를 단두대에서 처형함으로써
혁명이 마감되었어.
청교도가 혁명에 성공하여 영국을 다스린 몇 년간
감성 예술 영역에서는 금욕이 겨울날 서릿발 내리듯이 영국의 생활을 꽁꽁 얼어붙게 만들었어.
세속적인 환락뿐만 아니라 미신 냄새가 나는 일체의 것이 된통 서리를 맞았어.
쿵
쿵
이 중에는 교회 예술과 크리스마스 축제도 포함되어 있어.
그 외에도 서정시와 민요 그리고 희곡까지 쇠퇴해 버렸어.
또 음악의 역사에 영국은 주요한 역할을 했는데
이 음악적 소질도 쇠퇴해 버렸지.
독일
영국
프랑스

극장도 배척되었고
힝…
문학이나 모든 예술에서 성적이고 음란한 요소들이 제거되었어.
예술적인 기질이 억압되고 냉정한 합목적성이 크게 장려되었지.
한가한 잡담, 사치, 허례허식 등은
신의 영광보다는 인간의 영광을 추구하는 비합리적 태도라는 이유로 비난했어.
특히 몸과 옷을 꾸미는 장식물들에 대해서 비난이 가해졌어.
청교도들은 매사에 신의 뜻이냐, 육신의 허영이냐의 양자택일만을 인정했어.
신의 뜻
육신의 허영
이러한 태도 뒤에도 육체를 우상으로 섬기는 것에 대한 거부감이 있어.
꺅!
너와 자식들과 친구들을 위해 돈을 쓸 때에는 신을 섬기고 기쁘게 하는 것인지를 생각해야 한다. 주의 깊게 살펴라. 그렇지 않으면, 육체의 욕망이 도둑처럼 신에게서 모든 것을 빼앗아간다.

여기서 청교도주의의 모든 영향을
다 살펴볼 수는 없어.
다만 내가 밝히려고 하는 것은
다음과 같은 사실이야.
청교도에게 인간은 달란트의
비유에 나온 종과 같다는 것.
청교도주의는 언제나 예술적 아름다움과
운동경기를 즐기려는 것을 금했어.
이걸 위해서는 돈을
한푼도 지출하지
못하도록 했지.
지출금지
신이 은혜로 베푼
재산의 관리자일 뿐인데
자신의 향락을 위해
써서는 안 되잖아?
재산
관리목록
오늘날에도 우리는 이러한 생각을 가지고 살아가는
사람들을 찾아볼 수 있어.
자신의 재산에 대해 책임을 져야 한다는 생각으로
신의 뜻에 순종해 자신을 신의 청지기 또는
돈 버는 기계로 인식하고 살아가지.

재산이 많으면 많을수록 신의 영광을 위해
재산을 보존하고
열심히 일해 재산을
늘려야 하는 책임도 더 커져.
이런 생활방식이 자본주의의 발전에
큰 영향을 준 것은 분명해.

이처럼 칼뱅주의의 현세적 금욕주의는 향락을 위해 재산을 마구 낭비하는 생활을 강력하게 반대했어.

특히 사치품 소비를
금지해 버렸지.

칼뱅주의는 근검과 절약을
강조하면서
이익추구를 정당한 것으로 만들어 자유롭게 부를
축적할 수 있도록 했어.
부를 축적하는 것은
신의 뜻이야.
이것은 재산을
꼭 필요하고 유익한 일에
사용하기 위한 거였어.

중세의 봉건귀족은 남에게 자랑하기 위해 재산을 낭비하며 자기 몸을 우아하게 치장했어.

그러나 현세적 금욕주의자들은 깨끗하고 건전하고 견실한 안락함을 추구하는 중산층 가정을 이상으로 삼았지.

그들은 부정직과 충동적인
탐욕으로 재산을 모으는 것을
경멸했어.

돈의 유혹에 빠져 부자가 될 목적으로 거짓말까지 하면서 돈을 모으는 것은
황금숭배(Mammonism)에 불과해.

금욕주의는 부를 목적으로
추구하는 것을 비난해.

하지만 직업노동을 열심히 하면 그 열매로
부가 생기잖아.

이 부는 신의 축복으로
간주했지.

아이러니하게도 금욕주의는 선(정직한 직업노동)을 추구하지만 악(돈에 대한 욕심)을 만들어내는
역설적인 경향이 있어.

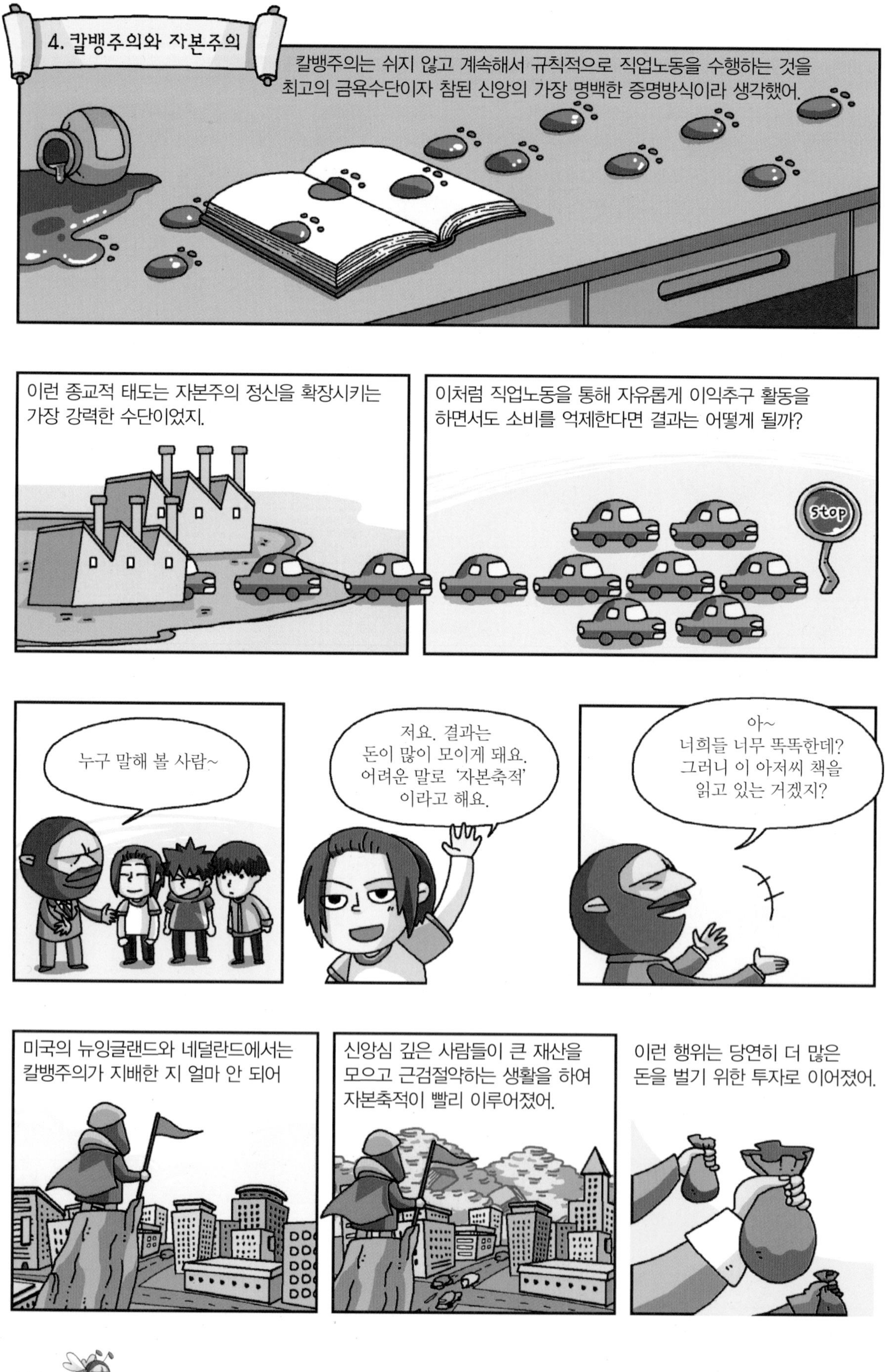
4. 칼뱅주의와 자본주의
칼뱅주의는 쉬지 않고 계속해서 규칙적으로 직업노동을 수행하는 것을 최고의 금욕수단이자 참된 신앙의 가장 명백한 증명방식이라 생각했어.
이런 종교적 태도는 자본주의 정신을 확장시키는 가장 강력한 수단이었지.
이처럼 직업노동을 통해 자유롭게 이익추구 활동을 하면서도 소비를 억제한다면 결과는 어떻게 될까?
Stop
누구 말해 볼 사람~
저요. 결과는 돈이 많이 모이게 돼요. 어려운 말로 '자본축적'이라고 해요.
아~ 너희들 너무 똑똑한데? 그러니 이 아저씨 책을 읽고 있는 거겠지?
미국의 뉴잉글랜드와 네덜란드에서는 칼뱅주의가 지배한 지 얼마 안 되어
신앙심 깊은 사람들이 큰 재산을 모으고 근검절약하는 생활을 하여 자본축적이 빨리 이루어졌어.
이런 행위는 당연히 더 많은 돈을 벌기 위한 투자로 이어졌어.

모든 시대와 지역에서 돈을 번 사람들은 귀족처럼 폼 잡으려고 돈을 낭비해.

베블런* 이라는 학자는 이것을 '과시적 소비' 라고 했어.

하지만 청교도들은 과시적 소비로 폼을 잡지 않았어.

*베블런 Thorstein Bunde Veblen 1857~1929 – 미국의 사회학자.

폼 잡아봤자 쓸데없는 것!
차곡차곡 모아 생산적인 곳에 투자하는 것이 최고랑께.

청교도적인 인생관이 영향을 미친 곳에서는 어디서나 합리적인 경제생활이 촉진되었어.

청교도적인 인생관은 자본주의 경제의 요람이라고 할 수 있어.

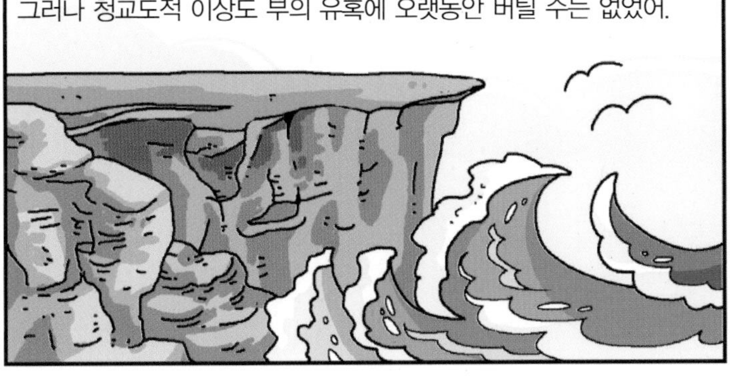
그러나 청교도적 이상도 부의 유혹에 오랫동안 버틸 수는 없었어.

결국 서서히 무너지고 말았지.

청교도 신앙을 받아들여 부유하게 된 시민과 농민은 초기의 금욕적인 신앙을 거부했어.

금욕
뻥

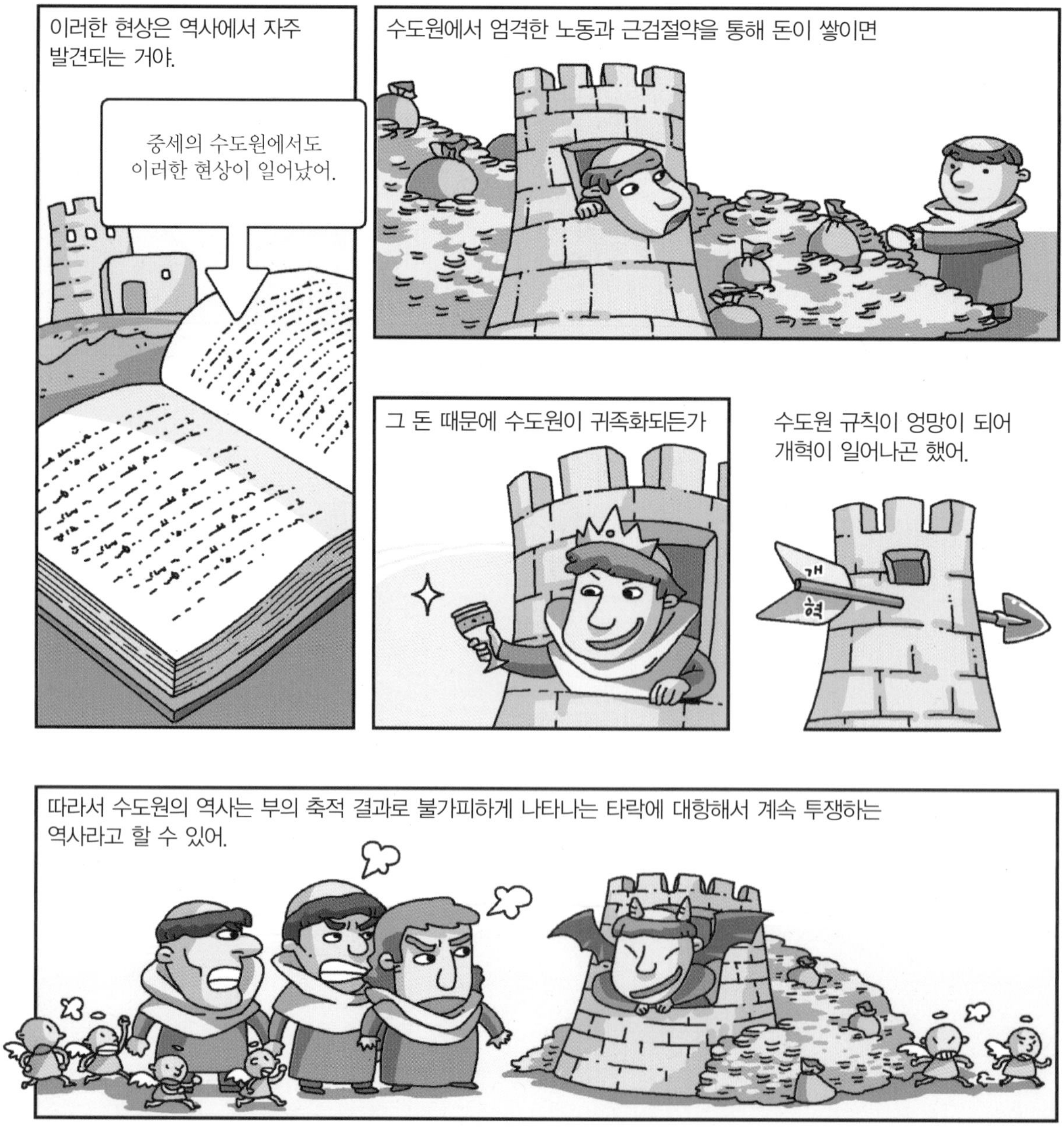
이러한 현상은 역사에서 자주 발견되는 거야.
중세의 수도원에서도 이러한 현상이 일어났어.
수도원에서 엄격한 노동과 근검절약을 통해 돈이 쌓이면
그 돈 때문에 수도원이 귀족화되든가
수도원 규칙이 엉망이 되어 개혁이 일어나곤 했어.
개
혁
따라서 수도원의 역사는 부의 축적 결과로 불가피하게 나타나는 타락에 대항해서 계속 투쟁하는 역사라고 할 수 있어.

18세기 말 영국에서 산업이 번창하기 전에 감리교가 크게 일어났는데
감리교

감리교는 영국의 청교도들이
부의 유혹에 무너져 내릴 때

이를 막고 청교도 정신을 새롭게
부흥시키기 위한 신앙운동이라고
할 수 있어.

일종의 수도원 개혁에 비교할 수
있지.

감리교 창시자 존 웨슬리*는 금욕적
신앙이 부의 증가를 가져오고
신앙
유혹

증가된 부가 금욕적 신앙을 무너뜨리는
역설적 결과를 잘 알고 있었어.
와르르
유혹

그는 다음과 같이 썼어.

*존 웨슬리 John Wesley 1703~1791 – 영국의 신학자, 목사.

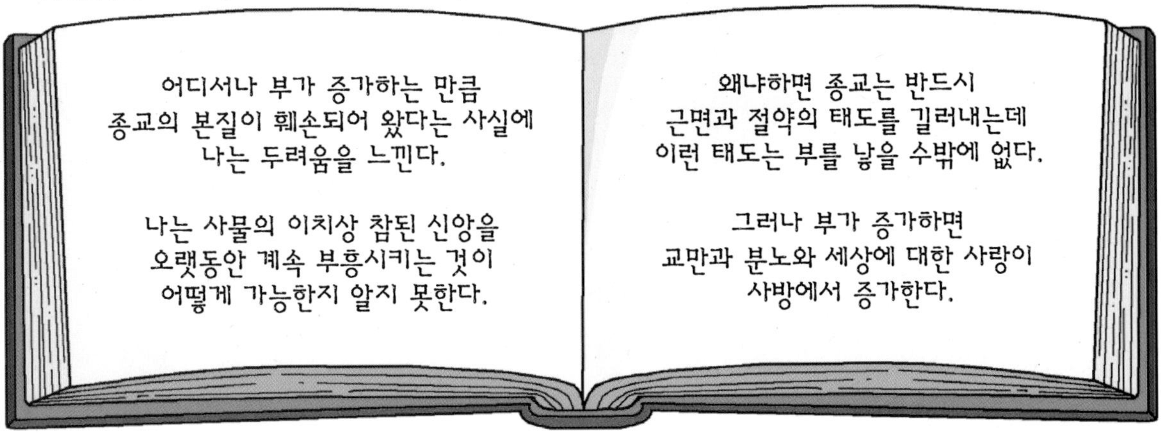
어디서나 부가 증가하는 만큼
종교의 본질이 훼손되어 왔다는 사실에
나는 두려움을 느낀다.
나는 사물의 이치상 참된 신앙을
오랫동안 계속 부흥시키는 것이
어떻게 가능한지 알지 못한다.
왜냐하면 종교는 반드시
근면과 절약의 태도를 길러내는데
이런 태도는 부를 낳을 수밖에 없다.
그러나 부가 증가하면
교만과 분노와 세상에 대한 사랑이
사방에서 증가한다.

감리교인들은 어디서나 부지런하고 검소하므로 그들의 재산은 증가한다. 그러나 곧이어 교만과 분노와 육체적 욕망도 증가한다. 따라서 종교의 형식은 남아 있을지라도 그 정신은 순식간에 사라지고 말 것이다.
종교의 순수성이 계속 부패되어 가는 과정을 막을 방도는 없는가?
우리는 사람들이 부지런하고 절약하는 것을 막을 수는 없다.
우리는 기독교인들에게 가능한 한 많이 벌고 가능한 한 많이 저축하도록, 그래서 결국은 부자가 되도록 격려해야 한다.
이 말 다음에, 벌 수 있는 모든 것을 벌고 저축할 수 있는 모든 것을 저축한 사람은 신의 은혜를 더 많이 받고, 하늘에 보화를 더 많이 쌓을 수 있도록 베풀 수 있는 모든 것을 베풀라는 말이 나와.
종교는 부지런히 일하고 근검절약하도록 사람들을 교육함으로써 경제발전을 도울 수 있어.
경제
하지만 종교운동이 경제발전에 도움을 주는 효과가 나타나는 데는 시간이 좀 걸려.
근검
절약
종교운동이 일어나자마자 바로 경제발전으로 나타나는 것이 아니라
종교
경제
그 종교정신이 사람들의 생활에 정착되어서 습관이 되어야 그 효과가 나타나거든.
경제
종교
그런데 효과가 나타날 때쯤이면 종교운동의 열기가 최고조를 지나 서서히 식게 돼.
경제
종교

좀 이해하기 어렵지?
음, 어떻게 설명할까?
얼마 전 인도네시아 근처 바다 속에서 큰 지진이 있었지?
쿠구구궁
그리고 이 지진의 여파로 해일이 일어났어.
이처럼 지진에 의한 해일을 쓰나미라고 불러.
이 쓰나미가 아주 가까이 있는 인도네시아의 다른 섬들뿐만 아니라 수천 킬로미터나 떨어진 지역까지 휩쓸어 수십만 명이 죽었어.
그런데 이 사고가 일어나고 있던 때에 이 쓰나미를 만들어낸 지진은 활동을 멈춘 상태였어.
종교운동이 경제에 효과를 나타내는 것도 이런 식으로 이해할 수 있어.
새로운 종교운동도 처음엔 천국에 대한 열망에서 일어나.
사람들은 그 종교운동에 참여하여 신앙을 받아들이고 종교의 금욕 정신도 받아들이지.
금욕정신
금욕정신은 사람들 사이에 생활화되면서 경제생활에 영향을 끼쳐.
그러면서 경제가 활기차게 돌아가며 큰 발전을 하게 돼.
금욕주의 최고!

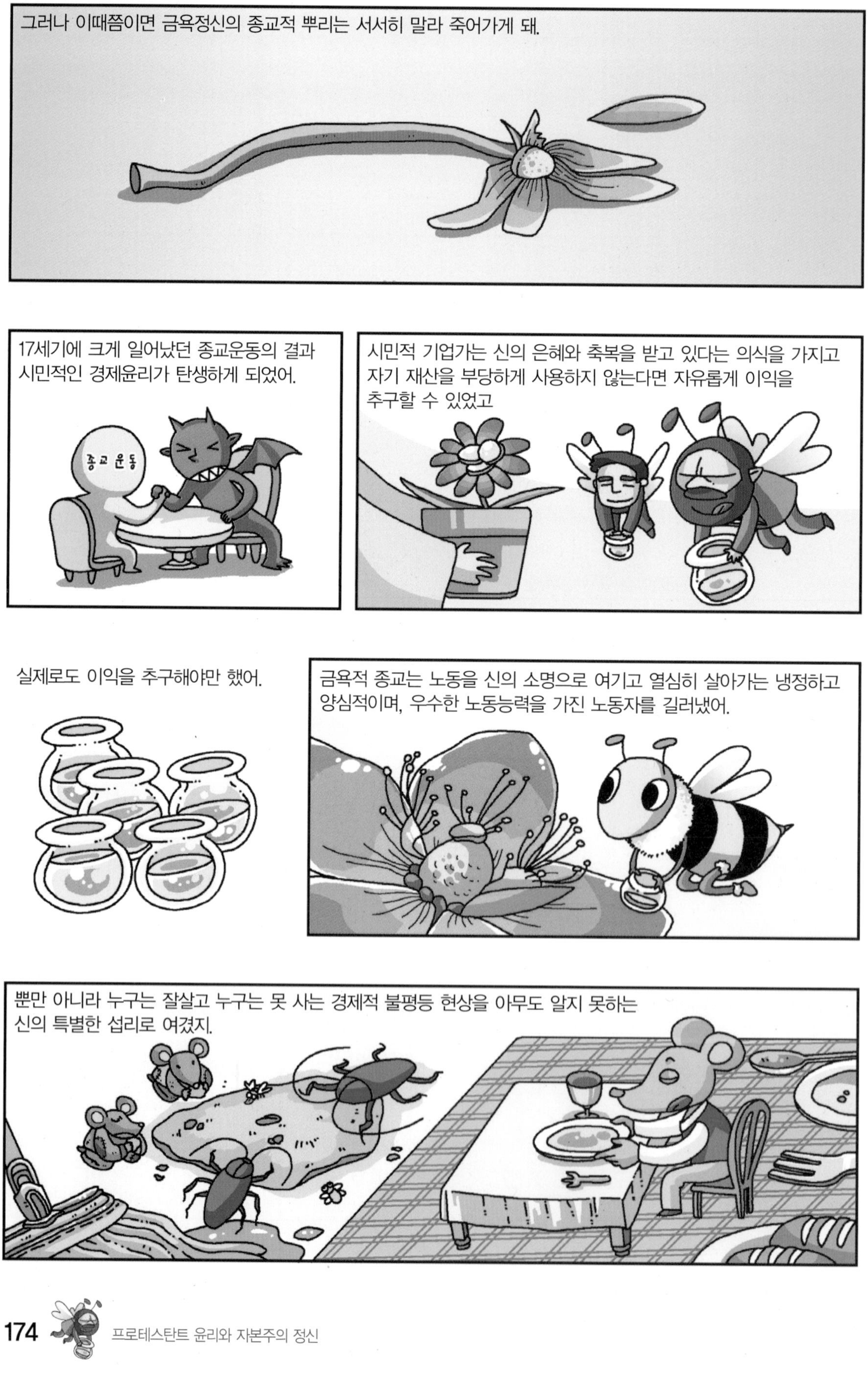
그러나 이때쯤이면 금욕정신의 종교적 뿌리는 서서히 말라 죽어가게 돼.
17세기에 크게 일어났던 종교운동의 결과 시민적인 경제윤리가 탄생하게 되었어.
종교운동
시민적 기업가는 신의 은혜와 축복을 받고 있다는 의식을 가지고 자기 재산을 부당하게 사용하지 않는다면 자유롭게 이익을 추구할 수 있었고
실제로도 이익을 추구해야만 했어.
금욕적 종교는 노동을 신의 소명으로 여기고 열심히 살아가는 냉정하고 양심적이며, 우수한 노동능력을 가진 노동자를 길러냈어.
뿐만 아니라 누구는 잘살고 누구는 못 사는 경제적 불평등 현상을 아무도 알지 못하는 신의 특별한 섭리로 여겼지.

무슨 말인지 이해하기 어렵지? 쉽게 말하면 이런 식이야.
내가 잘사는 것은 신이 나를 선택했기 때문이야.
저 사람들이 못 사는 것은 신이 저들을 버렸기 때문이지.
신이 왜 나를 선택하고 저들을 버렸는지 사람은 알 수 없어.
오직 신만이 알 수 있어. 이것은 신의 섭리야. 인간이 이러쿵저러쿵 불평해서는 안 돼.
이런 식의 생각은 경제 불평등을 정당화시키는 역할을 했어.
신의 손
중세 윤리는 가난한 사람의 구걸을 허용했을 뿐만 아니라 찬양하기까지 했어.
거지는 재산을 가진 사람에게 선행을 할 수 있는 기회를 제공한다는 이유로
살려주세요!
특별한 신분으로 여겨졌지.

나에게 한푼을 내 놓으시오! 그럼 나로 인해 당신은 선행을 하게 되는 것이오.
나를 도와주면 천국에 갈 수 있소. 그러니 나에게 감사하시오.
이런 중세 윤리에 근본적인 변화를 가져온 것은 청교도가 주도해서 만든 구빈법이었어.
뭐 저런…
구빈법은 엘리자베스 시대(1601년)에 만들어졌는데 구걸을 금지했어.
이 법은 빈민을 노동능력의 유무에 따라 노동능력자, 노동무능력자, 빈곤아동(요보호아동)으로 분류했어.
노동능력자
노동무능력자
빈곤아동
법
노동능력자에게는 교정원 또는 작업장에서 강제로 노동을 시켰으며
이를 거절했을 때는 형벌에 처했어.
용서하지 않겠다!
이들에게는 구걸이 금지되었고, 일반 시민들은 이들에게 자선을 베풀 수 없었어.

노동무능력자에게는 최저한의 구제를 제공했고
빈곤아동(요보호아동)은 도제(견습생)로 삼았어.
구빈법을 만드는 데 청교도가 주도적인 역할을 할 수 있었던 이유는 청교도 내에서는 구걸하는 것을 찾아볼 수 없었기 때문이야.
청교도의 금욕주의는 노동자들이 직업노동을 소명으로 받아들여 적극적인 노동을 하도록 동기를 부여했어.
그리고 고용주들이 기업경영을 소명으로 여기도록 해 노동자들을 착취하는 것을 정당한 것으로 간주하도록 만들었지.
노동자들은 청교도 신앙에 따라 직업노동을 열심히 해서 천국에 가려 했고
직업노동
교회는 노동자들에게 엄격한 금욕적 태도를 요구했어.
그 결과 노동 생산성이 크게 증가했어.
청교도주의는 개인의 능력과 창의력을 발휘하여 합법적으로 이익을 추구하도록 자극했어.
능력
창의력

투철한 직업관념은 자본주의 정신뿐만 아니라 근대문화를 구성하고 있는 근본 요소들 중 하나야.
직업관념
문화
자본정신
전통사회에서는 직업이라는 관념이 없었어.
?
직업?
직업관념은 기독교 금욕주의에서 탄생한 거야.
이 책은 바로 이 점을 증명하려고 했어.
이 책의 제4장에서 인용한 프랭클린의 글과 이 장에서 살펴보고 있는 청교도의 직업윤리를 서로 비교해 봐.
내용이 거의 동일하지 않니?
차이가 있다면 종교적인 신앙이 나타나지 않는다는 것뿐이야.
청교도는 직업을 소명으로 삼고 일하기를 원했어.
직업
그러나 나의 시대와 여러분 시대의 사람들은 먹고 살기 위해 직업을 갖지 않을 수가 없어.
그건 청교도적 금욕주의가 세상의 윤리를 지배하면서 자본주의 경제질서를 만들어 놓았기 때문이야.
마치 우주처럼.
자본주의 경제질서는 기계를 사용해 물건을 생산해.
그러므로 사람들도 기계의 움직임에 맞추어서 일을 해야 해.
따라서 자본주의 경제질서는 기계처럼 돌아가.

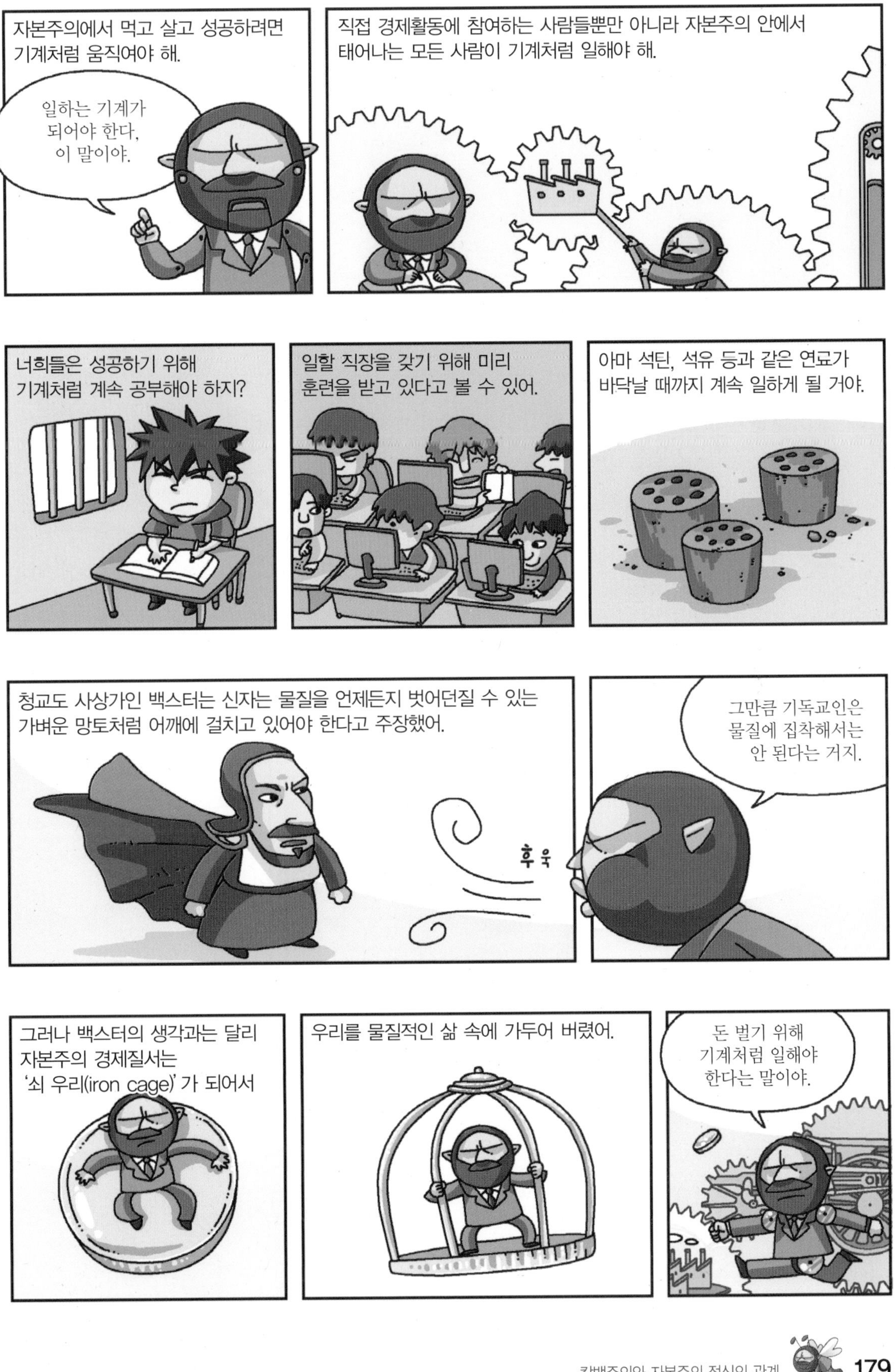
자본주의에서 먹고 살고 성공하려면
기계처럼 움직여야 해.
일하는 기계가 되어야 한다, 이 말이야.
직접 경제활동에 참여하는 사람들뿐만 아니라 자본주의 안에서
태어나는 모든 사람이 기계처럼 일해야 해.
너희들은 성공하기 위해
기계처럼 계속 공부해야 하지?
일할 직장을 갖기 위해 미리
훈련을 받고 있다고 볼 수 있어.
아마 석탄, 석유 등과 같은 연료가
바닥날 때까지 계속 일하게 될 거야.
청교도 사상가인 백스터는 신자는 물질을 언제든지 벗어던질 수 있는
가벼운 망토처럼 어깨에 걸치고 있어야 한다고 주장했어.
후욱
그만큼 기독교인은 물질에 집착해서는 안 된다는 거지.
그러나 백스터의 생각과는 달리
자본주의 경제질서는
'쇠 우리(iron cage)' 가 되어서
우리를 물질적인 삶 속에 가두어 버렸어.
돈 벌기 위해 기계처럼 일해야 한다는 말이야.

자본주의 경제질서는 금욕주의 이상에 따라 움직이고 있어.
얘들아! 금욕주의 이상이 뭐지? 이 아저씨가 지금까지 계속 설명했잖아?
예. 금욕주의 이상은 직업노동을 열심히 하고 근검절약하면서 돈을 모으고 그 돈을 다시 투자하는 거예요.
오케이! 베리 굿!
그런데 사람들이 이렇게 살수록 물질적 재화는 더 풍부해지지.
그 결과 자본주의에서 사람들은 인류 역사상 어느 때보다 더욱 물질적인 삶의 노예가 되고 말아.
돈이 없으면 아무것도 할 수 없다 이거야.
하지만 자본주의가 성공할수록 청교도의 금욕정신은 쇠 우리 같은 자본주의에서 점점 사라지고 말아.
금욕주의 정신이 완전히 사라져 버릴지 어떨지는 아무도 알 수 없어.

그러나 자본주의는 더 이상 금욕주의 정신의 도움 없이도 자동 기계 장치처럼 저절로 돌아가.
이제 직업에 대한 소명감이라는 종교적 신념은 죽고 말았어.
소명감
그것은 죽은 사람의 몸에서 빠져 나온 유령처럼 이리저리 헤매고 있을 뿐이야.
소명
소명
소명
이제 우리는 더 이상 직업노동에 대한 종교적 소명감을 갖고 있지 않아.
소명감
또는 직업노동의 의미에 대해서도 더 이상 생각하지 않지.
노동의 의미
자본주의가 최고도로 발달한 미국에서는 부의 추구가
종교적 의미를 벗어 던지고 스포츠의 경우처럼
세속적인 경쟁심과 결합하는 경향이 있어.
빡—

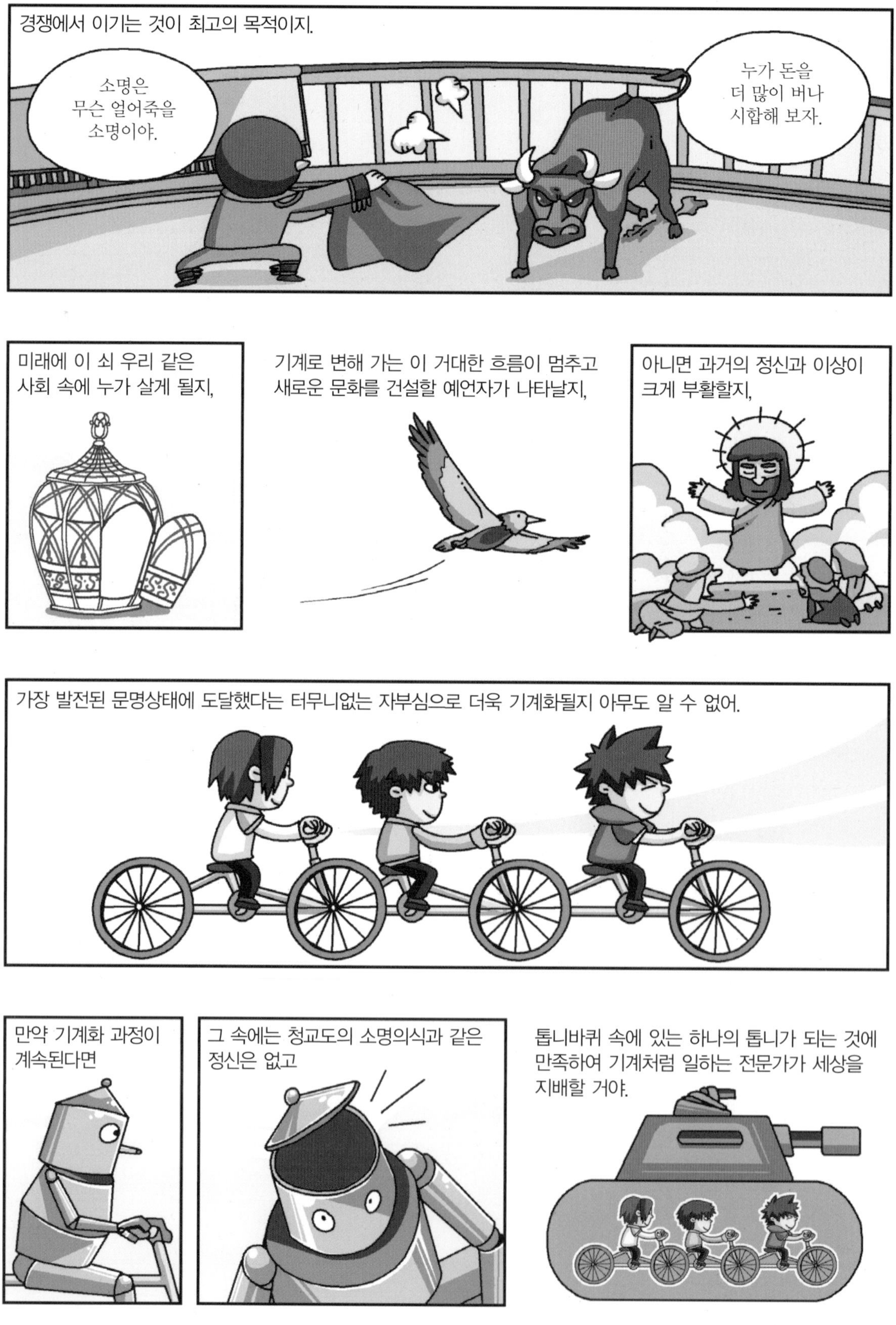
경쟁에서 이기는 것이 최고의 목적이지.
소명은 무슨 얼어죽을 소명이야.
누가 돈을 더 많이 버나 시합해 보자.
미래에 이 쇠 우리 같은 사회 속에 누가 살게 될지,
기계로 변해 가는 이 거대한 흐름이 멈추고 새로운 문화를 건설할 예언자가 나타날지,
아니면 과거의 정신과 이상이 크게 부활할지,
가장 발전된 문명상태에 도달했다는 터무니없는 자부심으로 더욱 기계화될지 아무도 알 수 없어.
만약 기계화 과정이 계속된다면
그 속에는 청교도의 소명의식과 같은 정신은 없고
톱니바퀴 속에 있는 하나의 톱니가 되는 것에 만족하여 기계처럼 일하는 전문가가 세상을 지배할 거야.

그리고 이에 적응하지 못하는 일부 사람들은 이런 기계문명에 반발해 직업노동을 외면하고
쾌락만을 추구하는, 마음이 메마른 향락가들로 살아갈 거야.
이 두 종류의 인간 모두, 생각과 마음을 잃어버린 무뇌의 인간들이야.
우리가 무뇌아들, 아니 무뇌아 후보들?
베버 아저씨, 너무 비관적인 것 아니에요?
마르크스 아저씨도 자본주의 사회에서 자본가와 노동자 둘로 나뉘어 서로 투쟁한다고 했잖아요?
앗! 한국 아이들이 이렇게 똑똑할 수가?
잘못하면 본전도 못 찾겠군.
이에 대해서는 다음 장에서 좀 더 생각해 보자. 후후후.
자, 나는 지금까지 프로테스탄트 금욕주의(칼뱅주의)가 자본주의 정신에 끼친 영향에 대해서만 살펴보았어.
그러나 프로테스탄트 금욕주의가 자본주의 정신의 형성에만 영향을 준 것은 아니야.

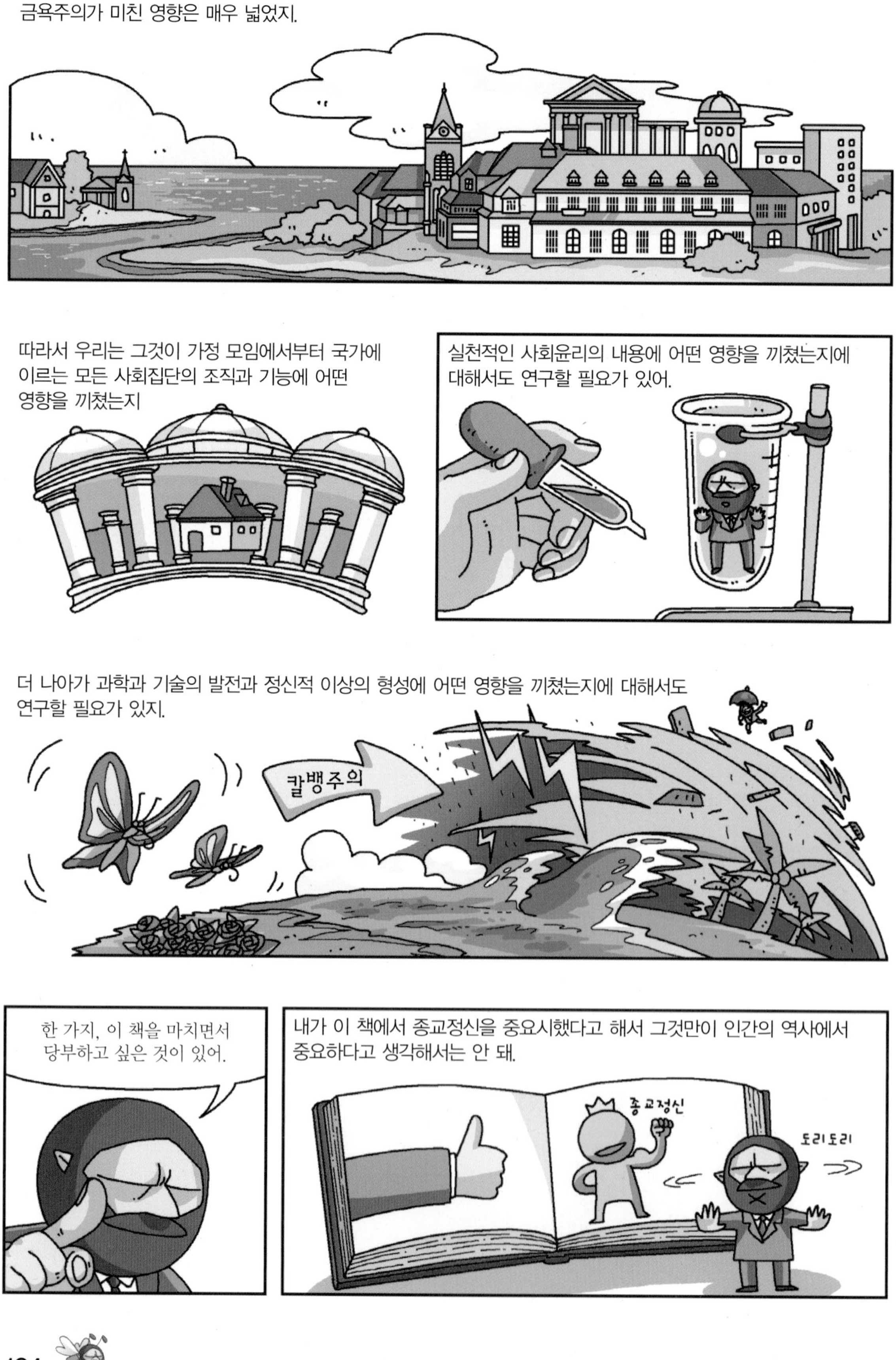
금욕주의가 미친 영향은 매우 넓었지.
따라서 우리는 그것이 가정 모임에서부터 국가에 이르는 모든 사회집단의 조직과 기능에 어떤 영향을 끼쳤는지
실천적인 사회윤리의 내용에 어떤 영향을 끼쳤는지에 대해서도 연구할 필요가 있어.
더 나아가 과학과 기술의 발전과 정신적 이상의 형성에 어떤 영향을 끼쳤는지에 대해서도 연구할 필요가 있지.
칼뱅주의
한 가지, 이 책을 마치면서 당부하고 싶은 것이 있어.
내가 이 책에서 종교정신을 중요시했다고 해서 그것만이 인간의 역사에서 중요하다고 생각해서는 안 돼.
종교정신
도리도리

인간의 역사를 만들어가는 데는
종교정신뿐만 아니라
정치적인 요소와
국회의원
경제적인 요소도 중요해.
나는 경제적인 요소만 가지고 역사를 설명하려고 한 마르크스의 극단적인 시도를 견제하고
싶었을 뿐이야.
세상은 자본가와 노동자의 투쟁일 뿐이야!
그것 말고도 종교, 문화, 정치 여러 가지가 있다고!
이상으로 내 책에 대한 소개를
마치려고 해.
하지만 아직 끝이 아니야.
아까 너희들이 자본주의 사회에 대한
나의 진단에 이의를 제기했잖아?
&%$#*@
그래서 다음 장에서 21세기의 자본주의 정신에 대해 여러분과 함께 생각해 보는 시간을 가지려고 해.
10000

제8장 좀 더 생각해 보기 : 21세기와 자본주의 정신

내가 이 책을 쓴 지 100년 하고도 2년이 지났어.

그동안 자본주의는 많이 변했어.

1976년 다니엘 벨(Daniel Bell) 이라는 미국학자가 《자본주의의 문화적 모순》이라는 책을 썼어.
다니엘 벨
자본주의의 문화적 모순

모순이란 두 가지 주장이 서로 어긋나서 이치에 맞지 않는 상태를 말해.
이 창은 모든 방패를 뚫을 수 있습니다!
이 방패는 그 어떤 창으로도 뚫을 수 없어요!

어느 쪽이 맞는 말이지?

그는 자본주의의 성공이
자본주의 정신을 파괴할 것이라고 주장했어.
꽝!
성공하면 번성해야 하는데 오히려 파괴될 것이라니, 이게 바로 모순이지.
벨이 말한 자본주의 정신은 내가 말한 것과 같은 거야.
자본주의.
다시 한 번 복습해 볼까?
자본주의 정신의 핵심이 뭐지?
정직하고 근면하게 직업노동에 열중하면서 근검절약하는 거요!
자본주의.
그리고 이를 위해 자기 욕망을 금욕적으로 잘 관리하는 걸 말해요.
아주 잘했어!
그러면 자본주의 정신은 어디서 생겨난 것일까?
칼뱅주의 신앙에서요!
음…
훌륭해! 다들 내 책의 내용을 정확히 꿰뚫고 있구나!
대단히 만족스러워. 후후후…!
그리고 나는 자본주의가 성공함에 따라
빰빠라
'기계처럼 일하는 전문가'가 세상을 지배할 거라고 주장했어.
나는 세상을 움직이는 부품이 되는 것에 만족해.
이에 적응하지 못하는 '일부' 사람들이 쾌락만을 추구하면서 살아갈 거라고 생각했지.
나는 그들을 '마음이 메마른 향락가'라고 표현했어.

그런데 벨은 그의 책에서
나와 반대되는 주장을 했어.
자본주의가 성공함에 따라
'마음이 메마른 향락가들'이
다수의 세력이 되어
자본주의의 질서를 파괴하고 제멋대로
쾌락을 추구하며 살아갈 거라고 했지.
벨은 자본주의가 성공할수록 보헤미안* 기질의 낭만주의 문화가 매우 급속하게 자라나
자본주의의 정신을 파괴할 것이라고 보았어.

*보헤미안 – 속세의 관습이나 규율 따위를 무시하고 방랑하면서 자유분방한 삶을 사는 시인이나 예술가.

보헤미안은 자유분방한 삶을
사는 사람들을 뜻해.
이 말은 체코 '보헤미아'란 지방에
집시가 많이 살던 것에서 유래하지.
집시는 한 곳에 정착하지 않고 유럽
각지를 떠돌던 아시아계 사람들을
말해.
이들을 유럽사람들이
'보헤미안' 이라고 불렀어.
'보헤미안' 이 자유분방함을
뜻하게 된 건 19세기에
들어서면서야.
특히 예술가, 문학가, 배우, 지식인 들을
가리키는 말이 되었지.
이들은 이성으로 욕망을 규제하는
것을 싫어하고 욕망을 자유롭게
표현하는 것을 좋아해.

그래서 이들은 낭만주의 문화를 발전시켰지.
샤방~
낭만주의 문화는 질서, 전통, 관습을 파괴하고
그렇다고 예의도 없냐!
감각적인 삶을 통해 해방을 추구하는 문화야.
아! 뷰리풀!
영감이 샘솟는구나!
낭만주의 문화는 자본주의 정신과 어울릴 수 없는 것이었어.
근면 성실
일
일
자본주의 정신의 조상인 청교도들은 이성에 의한 금욕을 중요시하고
감각적인 욕망을 경멸했거든.
LovE
제7장에서 청교도들이 영국을 지배했을 때 모든 감성 예술을 얼어붙게 만들었다는 내용, 기억나지?

청교도들은 감각적인 예술이 미신을 부추기고
성적 쾌락을 무절제하게 추구한다고 생각해 이를 다 몰아내려고 했어.
예술, 좋아하네!
인생을 낭비하는 쓸모없는 놈들!
청교도 신앙을 이어받은 자본주의 정신을 잘 대변한 사람이 앞서 살펴본 프랭클린이야.
검약
정직
질서
중용
신중
근면
인내
절제
정조
단정함
평온함
정확성
겸손
그는 청교도 신앙처럼 엄격하진 않지만 절제와 질서를 강요하는 13개의 미덕을 찬양했어.
돈을 버는 건 나의 즐거움을 추구하기 위해서가 아니야.
미래 발전을 위해서지.
보헤미안들은 이러한 자본주의 정신에 반항했어.
정말 지긋지긋해!
자본주의 정신은 너무 따분하다고!
그저 하루하루 다람쥐 쳇바퀴처럼 일하고 또 일하고…!
돈과 성공밖에 아는 게 없나?
돈
성공
그들은 돈 많은 일벌레가 되는 것보다 자기의 꿈을 자유롭게 추구하는 것이 더 낫다고 생각했지.
보헤미안들은 실제로 자본주의 사회를 장악하고 있던 자본가들에게 대항하여
자기들만의 세상을 만들기로 마음먹었어.

가난한 도시로 몰려들어 예술적인 공동체와 운동을 시작했지.

이들은 청년문화를 예찬했으며 저속한 유머와 짓궂은 농담을 즐겼어.
킥킥

긴 머리와 수염에 특이한 옷차림을 하고

질서에 도전하고 문란한 성생활을 하는 등 퇴폐적인 행위를 하며
삐―
삐리리―

창의성, 반항, 새로움, 자기표현, 반물질주의, 강렬한 열정, 독특한 감정, 특별한 행위를 추구했어.

히피족이라고 들어본 적 있니?

이 히피들이 보헤미안 문화를 잘 나타내고 있어.
그들은 가난하지만 상상력을 통해 자신만의 삶을 추구하며 살았어.

자본주의가 탄생한 내내 부르주아와 보헤미안 사이에는 문화전쟁이 있어 왔어.
물론 이 전쟁에서 부르주아들이 오랫동안 일방적으로 승리해 왔지.
그러나 1960년대와 1970년대가 되면서 보헤미안의 반격이 시작됐어.
퍽
학생들을 중심으로 세력을 불려나갔지.
기존 지배문화에 반항하는 학생운동이 많이 일어났어.
보헤미안 방식들이 미국의 대학가를 점령하다시피 했어.
그리고 이들이 사회에 진출하면서 정치와 경제 분야에서 세력을 넓혀 갔어.
정치
경제
문화
21세기에 미국의 실리콘 밸리를 이끄는 벤처 기업가들과 월(Wall)가의 금융전문가들도 1960, 1970년대에 보헤미안 스타일에 흠뻑 젖어 있던 사람들이야.
Windows
마이크로 소프트의 빌 게이츠도 이들 중 한 명이지.

이처럼 보헤미안들이 세력을 넓혀가자
자본주의 정신을 옹호하는 지식인들이
크게 놀랐어.
이대로 가다간 미국이
저 무책임한 놈들 때문에
큰일 나고 말 거야!
이들은 전열을 재정비하고 반격을
가하기 시작했어.
다니엘 벨도 이런 지식인들 중
한 사람이야.
보헤미안 문화가
크게 번져서는 안 돼.
그가 《자본주의의 문화적 모순》을 쓴
이유도 보헤미안 문화가 크게 번지는 걸
염려했기 때문이지.
모든 방패를 뚫는 창
어떤 창도 뚫을 수 없는 방패
그렇다면 보헤미안이 득세할 수
있었던 이유가 뭘까?
그건 소비를 해야 유지되는 자본주의의
근본 속성 때문이었어.
상품
박스
제2장에서 말했지? 내가 살던 시절의 자본주의가
생산자본주의였다면 너희가 살고 있는 시대의
자본주의는 소비자본주의라고.
40%
세일
단돈

너무 생산에만 치중하다 위기를 겪은 자본주의는 소비의 중요성을 강조하기 시작했어.
특별세일
일단 소비에 맛을 들이면 욕망을 억제하는 금욕보다 소비가 더 쉽고 재미있어지지.
금욕
소비
점점 순간적인 쾌락에 따라 살게 되고
재미
근검절약하는 정신이 사라지면서 향락주의가 지배하며
향락
겸손한 태도 대신 부를 과시하는 태도가 생겨나.
기업들도 상품을 팔기 위해 전력을 기울여 광고를 해.
이것을 소비하세요!
그러면 당신은 행복하게 됩니다!
천지 사방에서 소비하라는 광고가 쏟아지지.
이것을 사세요!
아름다워집니다!
오래 살 수 있습니다!
무차별적인 광고는 소비자 자신도 모르는 욕구를 자극해 상품을 소비하도록 만들어.

소비에 대한 즐거움과
기업의 광고가 맞물려
자본주의는 소비를 향해
미친 듯이 달려가고 있는
거지.
벨은 이러한 소비현상을 보고 생산적인 부르주아 문화가
소비하는 보헤미안 문화로 변해 가고 있다고 진단했어.
으악!!
벨은 마음이 메마른 향락가들에 의해
자본주의가 파괴될 것이라고 우려했어.
이렇게 미친 듯이
소비하다간 자본주의의
기둥뿌리까지 뽑혀
나갈 거야!
쑤욱
그러나 그런 일은
일어나지 않았지.
내가 예측한 대로, 자본주의가 기계와 같은
쇠 우리로 변해 가는 현상도 일어나지 않았어.
나와 벨 두 사람의 예측이 모두
틀렸다고 할 수 있어.
나와 벨
모두 비관적
이었지.
그럼 자본주의 사회는 어떻게 변했을까?

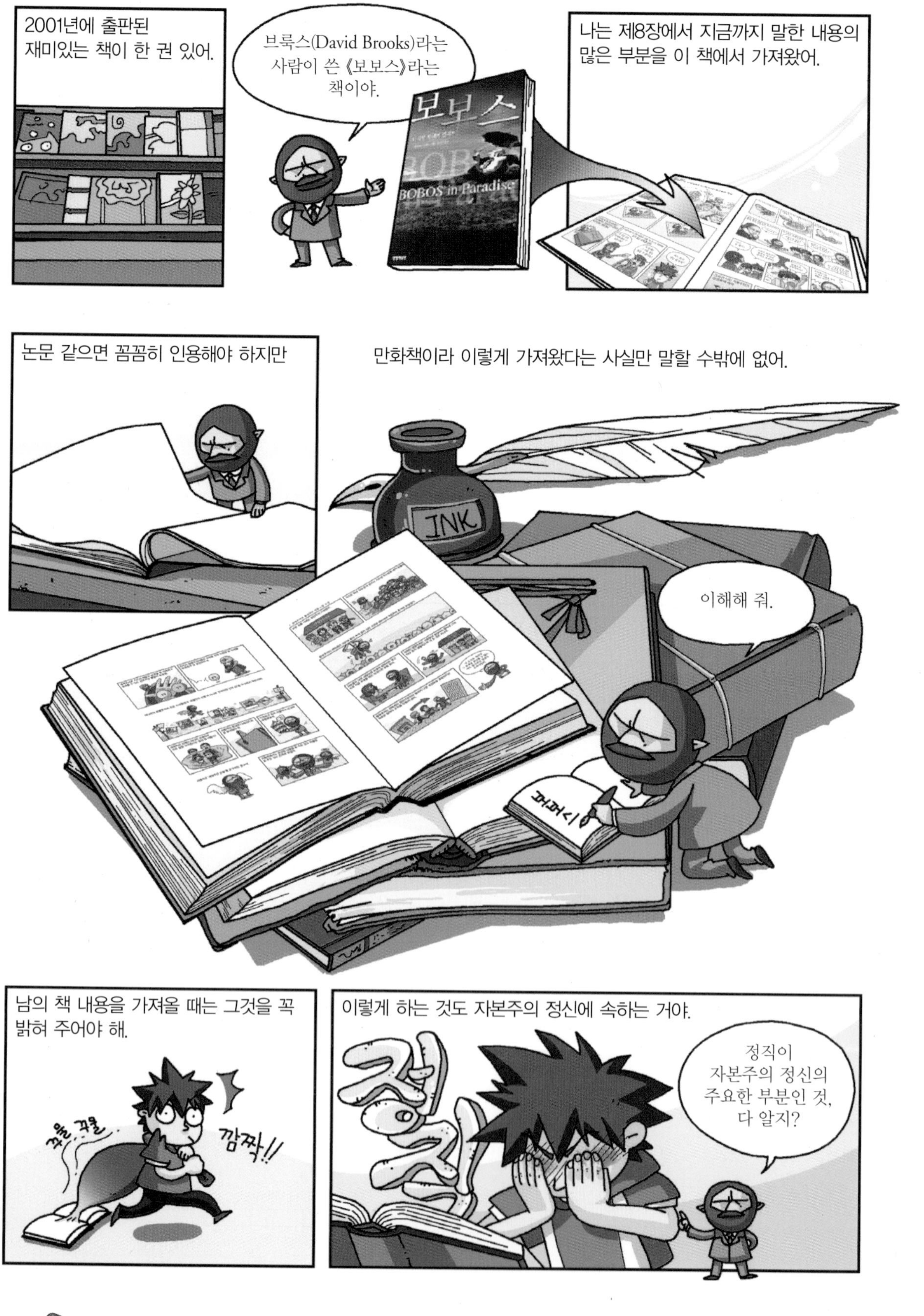
2001년에 출판된 재미있는 책이 한 권 있어.
브룩스(David Brooks)라는 사람이 쓴 《보보스》라는 책이야.
보보스
BOBOS in Paradise
나는 제8장에서 지금까지 말한 내용의 많은 부분을 이 책에서 가져왔어.
논문 같으면 꼼꼼히 인용해야 하지만
만화책이라 이렇게 가져왔다는 사실만 말할 수밖에 없어.
INK
이해해 줘.
남의 책 내용을 가져올 때는 그것을 꼭 밝혀 주어야 해.
깜짝!!
이렇게 하는 것도 자본주의 정신에 속하는 거야.
정직이 자본주의 정신의 주요한 부분인 것, 다 알지?

'보보스'는 부르주아 (Bourgeois)의 Bo와
보헤미안(Bohemian)의 Bo를 합쳐 만든 말이야.
다시 말하면, 부르주아 문화와 보헤미안 문화가 합쳐져 만들어진 새로운 문화를 말해.
부르주아는 자본주의 정신에 따라 살아가는 계급을 말해.
자본 주의
제1장에서 부르주아는 다른 말로 유산자(재산을 가진 사람)나 자본가라고 부른다고 했던 것 기억하지?
브룩스는 자본주의가 나의 예측처럼 부르주아 문화로 되지 않고
기계처럼 따분하게 움직이는 사람들이 지배하게 될 거야.
벨의 예측처럼 보헤미안 문화로 되지도 않으며
자본주의는 무절제하고 방종한 사람들 때문에 망하게 될 거야!
이 둘의 장점만 취하는 새로운 자본주의 정신과 문화를 만들어낸다고 주장했어.
자본주의
보헤미안

그러면서 "자본주의의 문화적 모순이 해결되었다."고 선언했어.
해결?
즉 보헤미안 문화가 부르주아 문화의 자본주의 정신에 저항하는 과정에서 이 둘이 합쳐져 새로운 자본주의 정신이 만들어졌다는 거야.
합체!
보보스는 기존 권위에 도전하는 보헤미안의 태도와,
얍!
부르주아의 기업가적 태도를 절묘하게 조화시켰고
보헤미안의 상상력과 창의력을 부르주아의 기업이윤과 결합시켰어.
청바지를 입고 주주총회에 참여하는 마이크로소프트 회장 빌 게이츠처럼 말이지!
정보 사회가 출현하면서 보헤미안의 상상력에서 나오는 아이디어와
상상력
부르주아의 비즈니스 기질이 결합될 수 있는 마당을 제공했어.
비즈니스
그리하여 이들은 컴퓨터 관련 산업들을 주도하는 정보 사회의 엘리트들이 되었어.
삐약
삐약
이들은 지속적인 변화, 최대한의 자유, 젊음의 열정, 진보적인 실험, 전통의 타파, 새로운 것의 추구 등을 기업이윤과 연결시키는 방법을 찾았어.
자유
열정
진보

보보스는 부자이면서 욕심쟁이가 아니고
윗사람들의 기대를 충족시키면서도 비위를 맞추지 않고
높은 사회 지위에 있으면서도 아랫사람을 경멸하지 않아.
큰 성공을 거두었으면서도 사회적 평등에 어긋나는 일을 하지 않으려 하고 풍요로운 삶을 살면서도 과소비는 피하려 해.
전통적인 부르주아들 못지 않게 열심히 일하지만 돈을 벌기 위해 일하는 것을 경멸하지.
자기가 하고 싶은 일을 열심히 한 결과 돈이 모아지는 것을 더 좋아해.
과연 브룩스의 말대로, 금욕적인 부르주아 문화가 자유분방한 보헤미안 문화를 가혹하게 억압한 이후,
보보스 문화가 두 문화 사이의 전쟁을 끝내고
정보 사회의 새로운 자본주의 정신을 만들어냈는지는 나도 확신할 수 없구나.
하지만 그가 말하는 보보스 문화는 여러분이 살고 있는 시대의 자본주의 정신에 대해 생각해 볼 중요한 기회를 제공해.
$

한국사회에서도 1960년대부터
자본
산업화 세대가 자본주의를 적극적으로 받아들여
자본주의
경제발전을 이루기 시작했어.
그러나 이러한 경제발전은 인간의 욕구를 억압하는 권위적인 방식으로 이루어졌어.
자본주의
마치 청교도의 금욕주의가 서구에서 자본주의 경제의 발전을 가져온 것처럼 말이야.
경제발전
금욕주의
서구사회
그러나 사람들은 마냥 경제발전을 위해 자신들의 욕구를 억누르고 있을 수 없었어.
꾸욱~
그래서 자유로운 자기표현을 주장하는 민주화 세대가 산업화 세대에게 저항하기 시작했지.
그래서 민주혁명이 일어나고 1993년부터 2007년까지 민주화 세대가 정치권력을 잡았어.

이제 한국사회도 산업화 세대와 민주화 세대를 조화시킬 수 있는 새로운 자본주의 정신을 만들어갈 때야.

모로 가도 서울만 가면 되고,
도착!

부정을 해서라도 돈만 벌면 된다는 천민자본주의 정신을
완전히 극복해야 하지 않겠어?

지금 세계는 미국의 서브프라임
모기지론 사태로 촉발된 금융 위기로
커다란 경제 위기에 빠져들었어.
주춤
미국

서브프라임 모기지론이
뭐냐고?
신용등급이 낮은
저소득층에게
고금리로 대출해주는
주택담보대출을 말해.
돈 갚을 능력 없음
무직

쉽게 말하면 은행과 금융기관에서
돈 없는 사람에게 높은 이자를 받고
돈을 빌려줘서 집을 사게 만드는 거야.

빚을 갚지 못 하면 집을 되팔아 돈을 마련하는데 이때 집 값이
오르고 있어서 이자를 갚고도 돈이 남았지.
그 집을
나한테 파시오!
돈 벌기
쉽다!

이렇게 집 값이 오르면 문제가 없는데 계속
그럴 수는 없잖아?
또 빌려 주세요!

어느 순간 집 값이 내려가니 돈을 못 갚게 되고 돈을 회수하지 못한 은행을 비롯한 금융기관은 파산하게 되는 거야.
집값이 내려가서…
학자들 중에는 이번 미국의 금융위기를 금융자본주의 때문이라고 보는 사람들이 있어.
금융자본주의가 뭐냐고?

자본주의는 자본을 축적하는 방식에 따라 세 가지로 나눌 수 있는데

공장에서 상품을 생산하는 활동을 통해 이익을 얻는 걸 산업자본주의라 하고
상품을 사고파는 활동을 통해 이익을 얻는 걸 상업자본주의라 해.
그리고 금융활동을 통해 이익을 얻는 걸 금융자본주의라고 하지.
이자
원금

금융은 자본주의 발전에 매우 중요해. 자기 자본으로만 사업을 해야 한다면 자본주의는 발전할 수 없어.
사업을 더 늘리고 싶은데 내가 모을 수 있는 돈은 이게 한계야.
은행이 있어서 기업운영에 필요한 대규모의 자본동원이 가능한 거야.
문제는 금융이 모든 것을 지배하는 금융자본주의인데
금융 자본주의

금융자본주의는 생산보다는 돈 놓고 돈 먹는 놀이를 통해 이익을 남기려는 풍토에 빠질 수 있어.

상품을 생산해 이익을 남기려면 할 일이 많은데 이런 게 어렵고 힘드니 쉽게 돈 놀이를 하겠다는 거야.
귀찮아….
그러나 상품을 생산하는 튼튼한 공장들(제조업체들)이 뒷받침 되지 않으면 금융만으로는 한 사회가 유지될 수 없어.
휘
청
아이슬란드
금융업이 발전해 아주 잘 살던 아이슬란드도 이번 금융위기로 부도가 났잖아?

금융자본주의는 소비자본주의와 서로 연관되어 있어.
금융자본주의
소비자본주의
소비하는 데 열중하다보니 일하는 게 힘들어지고, 그러다 편하게 돈 버는 방법을 찾다보니 잔꾀를 부려 돈 놀이로 이익을 내는 쪽으로 가게 되지.
메굴
일하기 싫어.
쉽게 돈 버는 방법이 없을까?
귀찮아.
메굴
다시 한번 강조할게. 생산의 고통 없이 자본주의는 유지될 수 없어.
생산의 고통을 잘 감당하기 위해서는 직업노동 정신이 필요하지.
팅팅
직업노동 정신
건강한 직업노동 정신을 잃어버리면 개인이든 국가든 실패하고 말아.
그러니 이 책의 내용이 얼마나 중요한지 알겠지?
프로테스탄트 윤리와 자본주의 정신
나는 한국이 새로운 자본주의 정신 만들기에 성공해서 국제 사회에 크게 기여하는 좋은 나라가 되기를 바라고 또 기대하고 있어.
여러분이 인류의 미래를 건설적으로 만들어 가는 데 이 책이 도움이 되었으면 좋겠구나.
그러면 이 아저씨는 보람을 느낄 거야.
흐
뭇
그동안 나와 함께 내 책을 읽어줘서 고마워.
이런..
끝낼 시간이군.
다들 앞으로의 삶에 행운이 가득하기를 빌게.
찡
긋
모두 안녕~.

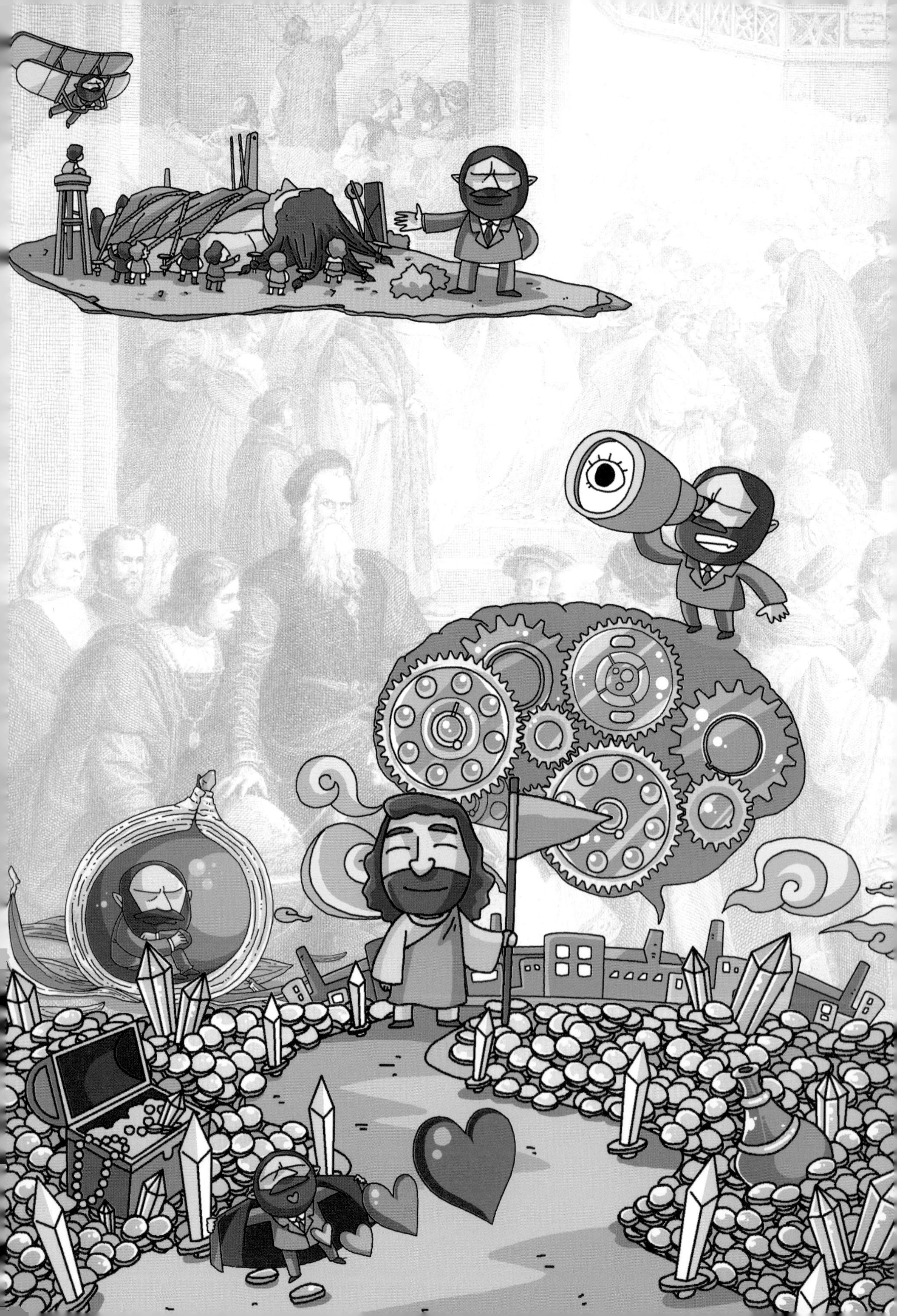

《프로테스탄트 윤리와 자본주의 정신》 깊이 읽기

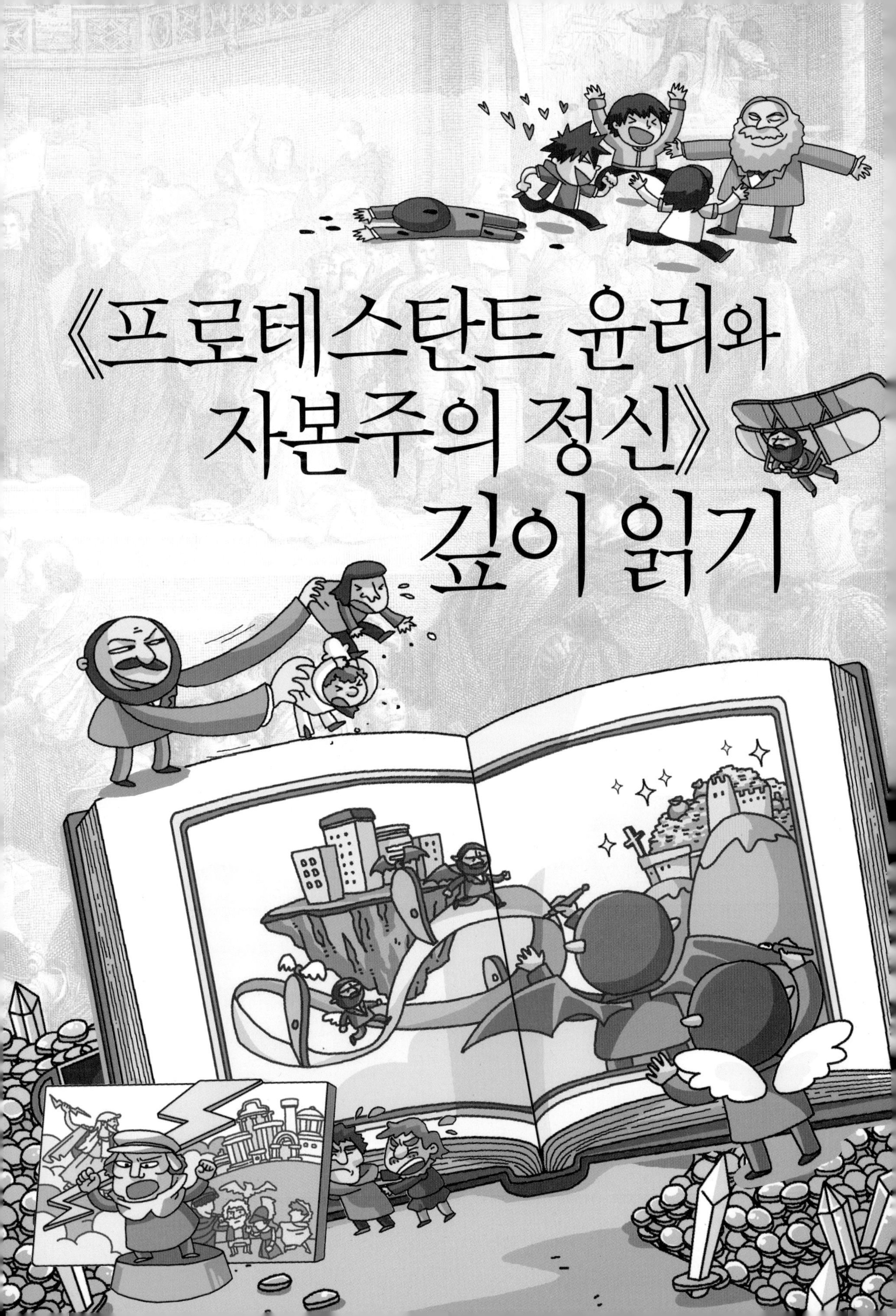

경건주의와 현세적 금욕주의

경건주의의 출발점은 만화 본문에서도 살펴보았던 '예정 교리' 에서 찾을 수 있습니다. 예정 교리에서 강조하는 금욕적 행위 자체가 경건 생활이었기 때문이죠. 따라서 이 예정 교리에 따랐던 청교도들을 경건주의자라고 할 수 있는데, 그들은 자신이 구원 받기로 예정된 사실을 금욕적 행위를 통해 증명하는 데 관심이 있었습니다. 그러나 시간이 흐르면서 교리를 잘 아는 지식인들이 자신의 신앙을 증명하지 못하는 경우가 많았습니다. 이에 신앙의 경건한 실천을 원하는 사람들은 교리에 대한 지식을 강조하는 기존의 교회를 불신하고 자기들만의 비밀 집회를 갖기 시작했습니다.

경건주의를 믿는 사람들은 세상의 모든 유혹에서 벗어나 모든 세부적인 사항들에 이르기까지 신의 뜻대로 살려고 했습니다. 이들은 이러한 삶을 통해 자신의 구원을 확신할 수 있는 증거를 얻으려 했습니다. 그들은 예정 교리를 멀리하면서 경건한 감정을 더 강조했습니다. 지식보다는 하나님에 대한 경건의 감정이 더 신앙에 가깝다고 여겼기 때문이지요.

경건주의는 본질적으로 경건의 감정을 강조합니다. 본문에서 살펴본 것처럼, 칼뱅주의자들은 감정 요소가 미신을 조장하고 금욕적 행위를 방해한다고 생각하여 종교 생활에서 감정을 추방하려고 했습니다. 그러나 경건함이 과격하게 표현되지 않고 직업 활동으로 구원의 확실성을 추구하는 방향으로 표현되면, 직업윤리에 확고한 종교적 기초를 마련해 줄 수 있습니다. 네덜란드와 영국에서는 주로 이런 온건한 경건주의가 발전했습니다.

▲ 슈페너

그러나 경건한 감정을 과격하게 강조하다 보면, 구원을 확신하기 위해 금욕적 행위에 몰두하기보다는 현세에서 신과 하나 되는 감정 체험으로 구원을 확신하려는 방향으로 발전하게 됩니다. 독일 경건주의가 바로 이러한 방향으로 발전했습니다. 독일 경건주의는 루터파의 영향을 많이 받으면서 슈페너(Spener), 프랑케(Francke), 친첸도르프(Zinzendorf) 등을 통해 발전해 갔습니다.

독일 경건주의를 처음 발전시킨 슈페너는 금욕적 행위를 중요시하는 영국과 네덜란드의 경건주의에서 영향을 받았지만 이를 루터파 전통과 결합시켰습니다.

금욕 행위로 신앙을 증명한다는 사상이 루터파 사상에는 낯설었기 때문에 슈페너는 신앙과 금욕적 행위가 밀접하게 연관되어 있지 않으니 신앙을 증명하기 위해 꼭 금욕적 행위를 할 필요가 없다고 보았습니다. 바로 루터의 방식을 받아들인 것입니다.

슈페너와 달리 프랑케는 직업 노동을 매우 훌륭한 금욕적 활동이라고 생각했습니다. 청교도들처럼 프랑케 역시 신은 선택된 자들에게 노동을 통해 성공하도록 복을 준다고 확신했습니다. 그러나 프랑케는 예정 교리를 받아들이지 않고 다른 사상을 만들었습니다. 그는 자신의 개인적인 체험을 통해 먼저 회개의 감정이 있은 후에만 은혜에 효과가 있다고 주장했습니다. 그런데 이러한 회개는 일생 중 특정한 순간이나 최후의 어느 순간에 한 번만 주어집니다. 그 순간을 놓치면 보편적인 은혜의 손길을 받을 수 없습니다. 이러한 주장은 독일 경건주의에 널리 수용되었습니다. 회개를 감정으로 체험하기 위한 금욕적 방법, 즉 합리적인 인간 활동으로 회개 감정을 일으키려고 했던 것이죠. 그는 죄를 용서받기 위해서는 마음속의 회개만으로는 충분하지 않고, 회개를 통해 얻어진 은혜의 행위가 실제로 사람들의 눈에 드러나야 한다고 강조했습니다. 프랑케의 영향은 독일 경건주의가 루터주의에 속박되는 것을 약화시키는 데 도움을 주었습니다.

▲ 프랑케

그러나 친첸도르프가 주도한 헤른후트(Herrnhut, 주의 가호가 함께라는 의미) 형제단은 경건에서 감정적 요소를 매우 강조하는 쪽으로 나아갔습니다. 친첸도르프는 선행을 청교도적 의미가 아니라 루터적인 방향으로 해석하려고 노력했습니다. 그는 고백 제도와 성사를 통해 구원을 얻으려는 루터파의 태도를 받아들였습니다. 또한 어린아이다움의 종교 감정을 순수함의 표시로 보았습니다. 이러한 그의 사상은 합리적인 금욕 행위가 발전하지 못하게 막았습니다. 이렇게 경건주의의 다른 분파보다 친첸도르프의 영향을 받은 헤른후트 파의 신앙에는 반합리적 · 감정적 요소가 훨씬 더 우세했습니다. 친첸도르프는 내세에서의 영원한 축복(구원)을 확신하기 위해서는 합리적 노동을 하는 것이 아니라, 바로 지금의 영원한 축복을 감정으로 체험하는 것을 이상적이라 생각했습니다.

▲ 친첸도르프

물론 친첸도르프도 적극적인 기독교적 삶과 선교, 그리고 그것과 관련한 전문적인 직업 노동에 중요한 가치를 두기는 했습니다. 뿐만 아니라 그는 효용의 관점에서 삶을 실천적으로 합리화하는 것을 중요한 철학으로 삼았습니다. 그는 관념적인 철학을 신앙에 위험한 것이라 생각하여 싫어하고 경험적 지식을 선호하면서, 삶의 현장에 잘 대처하는 전문적인 선교사의 태도를 중요하게 생각했습니다. 형제단은 거대한 선교 센터이자 기업체였으므로 구성원들은 일단 자신의 임무를 먼저 확인한 다음 주의를 기울여 계획적으로 수행했습니다. 이렇게 본다면, 친첸도르프의 헤른후트 형제단도 현세적 금욕주의의 길로 나아갈 수도 있었습니다.

그러나 친첸도르프는 신에 의해 선택된 제자들은 사도들(예수님의 열두 제자들을 가리킴)의 선교 사역을 모범으로 삼아 가난을 영광스럽게 여겨야 한다고 생각했습니다.

이러한 생각은 합리적인 금욕적 행위를 추구하지 못하게 하는 또 다른 요인이었습니다. 실제로 그것은 가톨릭의 복음적 권고(만화 본문 제5장에 설명되어 있음)를 부분적으로 부활시키는 것이었습니다.

이러한 요소들로 인해 칼뱅주의에서와 같은 합리적인 경제 윤리의 발전이 확실하게 저지되었습니다. 전체적으로 보아 독일 경건주의는 현세적 금욕주의에서 확고한 종교적 기초를 갖추지 못했습니다. 이것은 부분적으로는 루터파의 영향 때문이고, 부분적으로는 경건주의의 감정적 특성 때문입니다. 따라서 칼뱅주의와 비교해 볼 때 삶의 합리화는 약화되고 말았습니다.

영원한 미래에 관심을 갖고 직업을 통해 은혜의 상태를 계속 증명해야 하는 부담이 현재의 감정 상태로 해소되었습니다. 또 선택된 자가 도달하려고 했던 자기 확신, 자신의 직업에서 성공하기 위해 쉼 없이 일하는 과정에서 끊임없이 새로워야 했던 자기확신이 겸손과 포기의 태도로 바뀌었습니다. 겸손과 포기의 태도는 부분적으로는 영적인 체험만을 추구하는 감정적 흥분의 결과였으며, 부분적으로는 루터파 고백 제도가 나타난 결과였습니다.

경건주의는 종종 루터파 고백 제도를 달갑게 여기지 않았지만 대체로 묵인했습니다.

성화(도덕적으로 점점 더 완전해지는 것)의 실천이 아니라 죄의 용서를 구원으로 인식하는 루터파 특유의 구원관이 이 모든 것에 영향을 끼쳤습니다. 그 결과 지금 현재 하나님과 하나가 되는 일체감을 느끼려는 욕구가 잘 규율된 합리적 노력을 통해 미래(내세)의 구원에 대한 확실한 지식을 얻으려는 태도를 대신했습니다. 현재의 즐거움을 추구하는 경향은 미래를 준비하기 위해 경제생활을 합리적으로 조직하려는 시도를 방해합니다.

종교적인 욕구가 현재의 감정적 만족을 지향한다면, 현세적 활동을 합리화하는 강력한 동기가 생겨날 수 없습니다. 오직 내세의 운명에 집중하여 자신의 선택을 증명하려 한 칼뱅주의자의 욕구는 말씀과 성사에 얽매여 있던 정통 루터파의 전통주의적 신앙보다 종교적으로 행위를 질서 있게 규제하는 데 훨씬 더 쉬웠습니다.

이와 같이 슈페너에서 시작해 프랑케와 친첸도르프에 이르는 경건주의의 전개 과정에서 감정적인 측면이 점점 더 강조되었습니다. 경건주의 신앙은 한편으로는 성실한 관리, 사무원, 노동자, 가내 공업자에, 다른 한편으로는 (친첸도르프 식의) 겸손한 신앙을 갖고 있는 극히 가부장적인 고용주의에 유리했다면, 칼뱅주의 신앙은 엄격한 법률 정신과 자본주의 기업가들의 적극적인 모험심에 더 밀접하게 관련되어 있는 것처럼 보입니다. 이상과 같은 논의는 경건주의나 칼뱅주의의 영향을 받은 나라들의 국민성 차이(경제적인 특징을 포함)를 설명하는 데에도 도움을 줍니다.

감리교와 현세적 금욕주의

감리교는 영국과 미국에서 일어난 경건주의와 비슷한 종교 운동입니다. 감리교는 독일 경건주의처럼 금욕적 행위의 이론적 토대가 되었던 칼뱅주의의 예정 교리를 버렸습니다. 하지만 경건주의와 달리 감정적인 요소를 금욕적 행위와 성공적으로 결합시켰습니다.

감리교는 영어로 methodism이라고 하는데 이 말 자체가 감리교 지지자들의 특징을 잘 보여줍니다. methodism은 method라는 단어에 주의主義나 학설을 의미하는 ism이라는 접미사를 붙여 만든 말입니다. method는 조직적 방법, 규율 바름, 질서 정연함 등을 의미하므로, methodism은 구원의 확실성에 도달할 목적으로 행위를 체계적으로 통제하려는 노력을 나타냅니다. 처음부터 이 운동은 행위에 대한 금욕적인 통제를 종교적으로 매우 중요하게 보았습니다.

그러나 이처럼 감리교가 독일 경건주의와 다른데도 서로에게는 비슷한 점이 있습니다. 그것은 감리교가 회개 시에 감정적인 행위를 일으키는 독일 경건주의의 방법을 사용했다는 것입니다.

▲ 존 웨슬리

감리교의 창시자인 존 웨슬리는 루터파와 친첸도르프가 이끈 헤른후트 형제단의 모라비안으로부터 영향을 받아 감정을 강조했습니다. 그는 처음부터 대중 전도를 목표로 감리교가 강한 감정적 특성을 띠도록 이끌었습니다. 그는 회개에 도달하기 위해서는 가장 강력한 엑스터시(황홀) 상태에 이를 정도의 강렬한 감정이 필요하다고 보았습니다. 미국에서는 종종 공공 집회에서 이러한 현상이 일어났는데, 이러한 체험은 자격이 없는 인간이 신의 은혜를 과분하게 받아 죄를 용서받고 의로운 존재가 되었다는 믿음을 형성하는 기초가 되었습니다.

웨슬리는 이런 감정적 요소를 금욕적 행위와 결합시켰습니다. 감정적인 것을 미신이나 환상으로 여기는 칼뱅주의와 달리 그는 원칙적으로 용서의 절대적 확실성이라는 순수한 느낌이야말로 구원을 확실하게 해 주는 유일한 근거라고 주장했습니다. 이러한 느낌은 성령의 증언에서 직접 이루어지며, 성령이 임하는 때는 분명히 알 수 있다고 보았습니다.

또한 웨슬리는 이것에 성화聖化 교리를 첨가하였습니다. 칼뱅주의의 예정 교리는 거부했지만 성화 교리는 받아들인 것이죠. 웨슬리에 따르면, 구원의 느낌에 따라 거듭난 사람은 자신 속에서 일하는 신의 은혜로 현세에서도 성화에 도달할 수 있습니다. 성화

는 죄로부터 자유로워져 완전해진다는 의식으로, 일반적으로 구원의 느낌과 별개로 일어나며, 가끔은 갑작스러운 영적인 변화와 함께 나타납니다. 이러한 성화에 도달하는 것이 아무리 어렵다 하더라도, 그것은 반드시 추구되어야 합니다. 왜냐하면 성화는 확실히 구원되었음을 보장해 주기 때문입니다. 성화 상태에 도달하면 죄가 더 이상 지배할 수 없습니다. 따라서 성화된 사람은 자신에게뿐만 아니라 다른 사람들에게서도 참된 신자라 인정받습니다.

METHODIST CENTRAL HALL
▲ 감리교회 본부 (영국)

이렇게 감리교에서는 구원의 느낌을 매우 중요하게 여겼지만 한편으론 율법을 지키는 의로운 행위도 중요하게 여겼습니다. 그런데 웨슬리는 행위로 의롭게 된다는 사상을 공격했습니다. 그가 그렇게 한 것은 의로운 행위 때문에 은혜를 얻는 것이 아니라 의로운 행위는 단지 은혜 상태를 인식하는 수단에 불과하다는 옛 청교도의 교리를 되살리기 위해서였습니다. 그는 의로운 행위만으로는 충분하지 않고 반드시 은혜의 느낌이 추가되어야 한다고 보았습니다.

웨슬리는 때때로 의로운 행위를 은혜의 조건이라고 말하며, 선행을 하지 않는 사람은 참된 신자가 아니라고 힘주어 말했습니다. 이처럼 의로운 행위는 거듭남의 명백한 징표로 여겨졌습니다.

감리교는 한편으로, 구원에 대한 감정적 확신만이 은혜에 꼭 필요한 토대라고 주장하면서도, 다른 한편으로는 이와 더불어 죄의 힘에서 자유로워지는 성화가 은혜를 증명해 주는 것이라고 주장했습니다. 감리교는 구원에 대한 감정적 확신을 체험한 이후 친첸도르프의 감정적 경건주의 방식처럼 신과 하나됨을 경건하게 누리려 하지 않고 완전 상태에 도달하기 위한 합리적 노력을 기울였습니다.

감리교의 종교적 감정에는 칼뱅주의의 근본 특징이 그대로 작용했습니다. 때때로 감정적 흥분은 강력히 고조되어 열광 상태에 이르렀지만 결코 행위의 합리적인 특성을 파괴하지는 않았습니다. 감리교는 예정 교리가 폐기된 후 그것을 대신해 금욕적 행위의 종교적 토대를 제공했습니다. 행위를 통한 증명은 참된 회개를 확인하는 필수 불가결한 수단이었으며, 심지어는 웨슬리가 말한 바와 같이 참된 회개의 조건이기도 했습니다. 이처럼 행위를 강조하는 면에서 감리교는 칼뱅주의와 일맥상통했습니다.

침례교 종파들과 현세적 금욕주의

경건주의와 감리교는 칼뱅주의에서 파생된 부차적인 운동이지만 침례교와 관련한 여러 종파들(침례교, 메노파, 퀘이커교)은 칼뱅주의와 무관한 독자적인 프로테스탄트 금욕주의의 원천이 되었습니다. 이 종파들의 윤리는 칼뱅주의의 교리와 근본적으로 다른 기초에 서 있습니다.

역사적으로나 원칙적으로나 이들 종파들의 가장 중요한 사상은 '믿는 자의 교회' 입니다. 그들은 눈에 보이는 교회를 직접 중생(거듭남)의 체험을 한 '믿는 자' 들만의 공동체라고 생각했습니다. 이 사상에 따르면, 자신의 신앙을 직접 고백하는 어른들만이 침례를 받을 수 있는데, 여기서 침례浸禮란 몸 전체를 물속에 잠그는 세례 형식입니다.

그들은 신이 보내는 구원의 선물을 영적으로 소유하려고 했습니다. 그

들은 이것이 개인 속에 성령이 직접 작용하는 계시를 통해서만 일어난다고 보았습니다. 성령의 작용을 통한 개인적인 계시는 모든 사람에게 일어날 수 있는 것으로, 세상에 대한 탐욕스러운 집착으로 성령의 임재를 거부하지 않고 기다리기만 하면 되는 것이었습니다. 교회의 교리를 지적으로 안다는 의미에서의 신앙과 회개에 의해 신의 은혜를 파악한다는 의미에서의 신앙은 아주 최소화되었습니다.

▲ 메노 시몬스

예를 들면, 메노 시몬스(Menno Simons)에 의해 형성된 메노파는 다른 침례 종파들과 마찬가지로 흠 없고 참된 그리스도 교회가 되기를 원했습니다. 또 그들은 사도들의 공동체처럼 신에 의해 직접 깨달음을 얻고 부름을 받은 사람들로만 이루어진 교회가 되기를 원했습니다. 거듭난 사람들, 오직 그들만이 그리스도의 형제들로 여겨졌습니다. 왜냐하면 그들은 그리스도와 마찬가지로 신에 의해 직접 영靈으로 창조되었기 때문입니다.

최초의 침례교 종파들은 꼭 필요한 교제 외에는 세상을 철저하게 회피했으며, 초대 기독교 생활을 모범으로 취한다는 점에서 엄격히 성경주의 입장을 취했습니다. 침례교 종파들은 이러한 동기에서 그 근거는 좀 다르지만 우리가 이미 칼뱅주의를 통해 익히 알고 있는 한 가지 원리를 도출해 보존하고 있었습니다. 그 원리는 마땅히 신에게만 드려야 할 숭배를 훼손한다는 이유로 일체의 피조물 신격화를 철저히 거부하는 것이었습니다. 스위스와 남독일의 초기 침례교도들도 성경적 생활방식을 삶의 모든 즐거움과 철저히 단절되는 것으로 여겼습니다. 그래서 예수의 열두 제자들이었던 사도들의 삶을 직접 본받고자 했습니다.

▲ 한국의 대표적인 퀘이커 교도인 함석헌 (사상가, 민권 운동가)

그러나 그들은 《성경》에 기록된 것이 신의 계시의 전부가 아니라고 보았습니다. 그들에게 성령은 일상 속에 작용하면서 들으려고 하는 사람이라면 누구에게든지 직접 계시하는 것입니다. 이처럼 성령의 직접적인 계시에 따른 삶이 참된 교회의 유일한 특징이었습니다.

계시가 《성경》에서 끝난 것이 아니라 지금도 계속되고 있다는 사상에서 성령이 이성과 양심에 내적으로 증거한다는 유명한 교리는 뒤에 퀘이커 교도들에 의해 체계적으로 발전되었습니다. 이것은 《성경》의 유일 권위성을 부정하는 것으로, 교회를 통한 구원 교리에 관련된 모든 것을 근본적으로 제거하는 계기가 되었습니다. 퀘이커교는 심지어 침례와 성찬도 없앴습니다.

침례교 종파들은 예정론자들, 특히 엄격한 칼뱅주의자들과 함께 모든 성례전을 구원에 무가치한 것으로 만들어버림으로써 가장 극단적인 형태로 세상에 대한 종교적 합리화를 성취했습니다. 《성경》의 계시들조차도 계속되는 계시의 내적인 빛을 통해서만 제대로 이해할 수 있다고 생각했습니다. 이러한 생각을 논리적으로 더 발전시킨 퀘이커 교리에 따르면, 《성경》의 계시를 전혀 알지 못하는 사람들에게도 성령의 내적인 계시가 가능했습니다.

교회밖에는 구원이 없다는 명제는 오직 성령에 의해 조명된 사람들의 눈에 보이지 않는 교회에만 타당합니다. 내적인 빛이 없다면 자연적인 인간은 자연적인 이성에 의해 인도되더라도 단순한 육체에 불과했습니다. 퀘이커 교도들과 침례교도들은 이렇게 신앙을 갖지 않는 사람들을 칼뱅주의자들보다 훨씬 더 혹독하게 비난했습니다.

그들에 따르면, 성령으로 새로 태어난 사람들은 신이 알아서 모든 것을 하기 때문에 마음을 열고 기다리면 죄를 완전히 정복하는 상태에 도달할 수 있습니다. 그리고 한 번 받은 은혜를 잃어버리거나 다시 타락하는 일은 결코 일어날 수 없는 것이었습니다. 그러나 시간이 흐르면서 감리교에서와 같이 누구나 완전한 상태에 도달한다고 생각하지는 않았습니다. 오히려 각 개인이 얼마나 노력하느냐에 따라 달라진다고 생각했습니다.

침례교 집단들은 구성원들이 행동거지에서 흠이 하나도 없다는 뜻에서 깨끗한 교회가 되기를 열망했습니다. 세속의 이익추구를 진정으로 거부하고 양심으로 말하는 신에게 무조건 복종하는 것만이 정말로 거듭났다는 것을 보여주는 확고한 징표였습니다. 따라서 합당한 행위야말로 구원에 꼭 필요한 것이었습니다. 신의 은혜의 선물은 노력하여 얻을 수 있는 것이 아니었고 양심의 명령에 따라 행동하는 사람만이 거듭난 자로 여겨

질 수 있었습니다. 이러한 의미에서 선행은 구원에 꼭 필요한 것이었습니다.

예정론이 거부되었기 때문에 침례교 도덕의 합리적 성격은 심리학적으로 무엇보다도 성령의 강림(신이 하늘에서 인간세상으로 내려옴)을 바라는 사상에 의존했습니다. 이것은 오늘날에도 퀘이커 집회의 특징입니다. 충동적이고 비합리적인 것, 자연인의 열정과 주관적인 이해관계를 극복하기 위해서 성령의 강림을 조용히 기다립니다. 조용히 해야만 영혼이 평정해지고, 신의 말씀이 들립니다. 물론 이러한 기다림이 히스테리 상태, 예언 등을 불러오기도 합니다. 종말론적인 희망이 유지되는 한, 어떤 상황에서는 모든 유사한 종교 유형들에서처럼 천년왕국에 대한 기대가 열광적으로 분출될 수도 있습니다.

그러나 침례교가 일상적인 세속적 노동에 영향을 끼침에 따라, 육체가 잠잠해야만 신이 말씀한다는 사상이 행위 과정을 사려 깊게 살피고 주의를 기울여 양심적으로 올바르게 행동하도록 유도했습니다. 후기의 침례교 집단들, 특히 퀘이커 교도들은 조용하고, 온건하며, 매우 양심적인 방식으로 행동했습니다. 이처럼 세상에서 주술이 근본적으로 제거됨으로써 현세적 금욕주의가 실천될 수 있었습니다. 이들 집단은 정치권력에 전혀 관심이 없었습니다. 따라서 이러한 금욕적 미덕들이 경제적인 직업 생활에 파고들었습니다.

침례교 종파가 경제적 직업에 대한 관심을 더욱 강하게 갖게 된 것은 두 가지 요소 때문입니다. 첫 번째 요소는 관직에 나아가는 것을 거부한 것입니다. 이것은 세상의 모든 것을 거부하는 것에서 비롯되는 종교 의무의 일부였습니다. 이처럼 관직에 나아가는 것을 거부하다 보니 침례교도들은 경제적인 직업에 몰두하게 되었습니다. 이러한 거부가 종교적 의무에서 없어진 뒤에도 메노파 신도들과 퀘이커 교도들은 계속 거부했습니다. 그들은 무기 사용과 선서를 철저히 거부했기 때문에 관직에 나아갈 수 없었습니다.

두 번째 요소로, 모든 침례교단들은 귀족적 생활 방식을 매우 싫어했습니다. 귀족적 생활에 대한 거부는 칼뱅주의자들과 마찬가지로 부분적으로는 피조물 신격화를 유발하는 것에 대한 금지 때문이었고, 부분적으로는 첫 번째 요소로 언급한 비정치적이거나 반정치적인 원칙 때문이었습니다. 이러한 요소들 때문에 양심적인 침례교도의 합리적 행위는 정치 분야가 아닌 경제적 직업에서 수행되었던 것입니다.

침례교의 구원 교리는 양심을 신의 계시라 생각하면서 그 역할을 매우 중요하게 여겼습니다. 그 결과, 침례교도들은 자본주의 정신의 발전에 가장 커다란 의미를 가진 특징을 그들의 세속적 직업 행위에 부여하였습니다. 침례교의 세속적 금욕주의, 특히 퀘이커의 금욕주의는 '정직이 최상의 정책이다.' 는 원리를 실천했습니다. 이는 자본주의 윤리의 가장 중요한 원리이기도 합니다.

루터

▲ 루터

마르틴 루터(Martin Luther)는 종교 개혁의 불길을 점화시킨 최초의 인물이라고 할 수 있습니다. 그의 개혁이 계기가 되어 오늘날의 프로테스탄트 교회들이 생겨났기 때문이죠. 종교 개혁은 중세 가톨릭이 면죄부를 판매하자 루터가 그 부당성을 지적하는 95개 조항의 반박문을 비텐베르크 성문에 내걸면서 시작되었습니다.

루터는 1483년 11월 10일 독일 작센주 아이슬레벤에서 태어나 1546년 2월 18일 그곳에서 죽었습니다. 집안은 당시의 일반 가정들처럼 경건하고 엄격한 분위기로 가득 차 있었다고 합니다. 1501년 봄, 그는 독일의 에르푸르트 대학교 인문학부에 입학했습니다. 아버지는 법률가가 되기를 바랐지만 루터는 성직자가 되기 위해 에르푸르트에 있는 수도원에 들어갔습니다.

루터는 수도원으로 들어가게 된 동기를 그가 쓴 《식탁 담화》에서 다음과 같이 밝혔습니다. 1505년 7월 2일 루터는 부모를 방문하고 돌아올 때 슈토테른하임이라는 마을 근처에서 천둥을 동반한 폭풍우를 만났습니다. 갑자기 죽을지도 모른다는 공포에 휩싸여 그는 "성 안나(예수의 어머니인 마리아의 어머니, 즉 예수의 외할머니)여, 나를 도우소서. 수도사가 되겠나이다!" 하고 외쳤다고 합니다. 이후 그는 거의 모든 책을 팔아치우고

1505년 7월 17일 에르푸르트의 수도원으로 들어갔습니다. 루터는 1506년 수도사로서 서원(보다 선하고 훌륭하게 살겠다고 하나님께 약속함)을 했고, 1507년 4월 사제 서품을 받으며 그해 5월 초에 처음으로 미사를 집전했습니다.

수도사가 된 루터는 행위를 통해 의롭게 되고 구원을 받는다는 가톨릭의 교리에 따라 열심히 수도사 생활을 했습니다. 그는 매우 열정적으로 가톨릭의 복음적 권고를 완벽하게 실천하고, 수도회의 회칙을 엄격히 지키려고 노력했습니다. 그러나 그는 아무리 열심히 노력해도, 아니 열심히 노력하면 할수록 신 앞에서 자신이 부족한 죄인이라는 의식이 더 커져만 갔습니다. 그는 자신의 구원 불확실성에 회의하고 고민하면서 이를 극복하기 위해 교회의 성례전(성만찬, 고백성사 등)에 매달렸고, 선배 수도사들에게 현명한 조언도 구했지만 불안한 마음을 누그러뜨릴 수 없었습니다. 루터는 점점 더 율법을 지키기 어려웠으며 자신이 위선자라는 생각에 휩싸였습니다. 그는 양심에서 일어난 번민으로 절망상태에 빠졌습니다.

《성경》의 로마서를 읽으면서 루터는 이러한 절망 상태에서 빠져나올 수 있는 길을 발견했습니다. 특히, 로마서 1장 17절 "오직 의인은 믿음으로 살리라."라는 말씀에 주목했습니다. 이 말씀을 통해서 선한 행위를 함으로써가 아니라 오직 믿음으로써, 즉 신이 우리를 용서해 준다는 사실을 믿음으로써 의로운 사람이 되고 구원된다는 확신에 도달하게 되었습니다. 루터는 이때의 심경을 "나는 다시 태어나 천국으로 통하는 활짝 열린 문으로 들어선 느낌이었다."라고 표현했습니다. 이러한 확신을 바탕으로 그는 행위를 통해서 의로운 사람이 되고 구원이 된다는 가톨릭의 행위의인行爲義認 사상을 반대하고, 신앙의인信仰義認 사상을 주장했습니다. 신앙의인 사상은 오늘날 프로테스탄트 교회들이 가장 중시하는 교리들 중 하나입니다.

칼뱅

▲ 칼뱅

칼뱅(Jean Calvin)은 1509년 7월 10일 프랑스의 피카르디 누아용에서 태어나 1564년 5월 27일 스위스의 제네바에서 죽었습니다. 칼뱅은 루터의 종교 개혁을 계승한 16세기의 가장 중요한 개혁자들 중 한 사람입니다. 만약 칼뱅이 없었다면 프로테스탄트는 다시 가톨릭 세력에 정복당하여 종교 개혁은 실패하고 말았을 것입니다. 그랬으면 오늘날 서유럽의 위대한 업적인 자유 민주주의는 없었을지도 모릅니다.

칼뱅은 아버지 제라르 코뱅과 어머니 잔느 르프랑 사이에서 둘째 아들로 태어났습니다. 칼뱅이 세살때 어머니가 죽었고 아버지는 재혼했습니다. 아버지는 주교 비서와 대성당참사회 소송 대리인 등 교회 기관에서 일했습니다. 아버지는 두뇌가 예리하고 글에 소질이 있었으며, 교육을 받은 사람으로 사물에 대한 이해력이 강했습니다. 또 근면과 노력을 생활의 원칙으로 삼았습니다.

아버지는 자녀 교육에 매우 엄격했습니다. 칼뱅은 어려서부터 몸이 약하고 소심했으나 사리판단이 정확했고 사물에 대한 이해가 빨랐으며 뛰어난 지적 역량을 보였습니다. 나약해 보였지만 책을 읽을 때에는 얼굴이 밝아지고 눈이 별과 같이 반짝였다고 합니다. 아버지는 이런 칼뱅에게 기대를 걸고 그의 교육을 위해 아끼지 않고 투자했습니다.

칼뱅은 파리에 있는 몬타그 대학에서 엄격한 기숙사 생활을 하며 적게 먹고 적게 자면서 책을 많이 읽었습니다. 그는 24세인 1533년에 갑작스러운 회개를 경험하고 가톨릭에서 프로테스탄트로 개종했습니다. 이 회개의 경험을 그는 다음과 같이 썼습니다.

"나는 보았습니다. 마치 빛이 내 위에 막 쏟아져 비치는 것을. 나는 내가 지금까지 얼마나 과오가 많은 돼지우리에서 뒹굴고 있었는지를, 그리고 내가 얼마나 부정하고 더러워졌는지를 분명히 보았습니다. …… 그 비참한 상태에 대한 두렵고 떨리는 심정, 영원한 죽음의 절망 …… 때문에 나는 한시도 더 참을 수 없었습니다. 그리하여 그 즉시 나는 당신이 지시하시는 길을 걸었습니다. 많은 통곡과 눈물로 내 과거를 저주하며 나는 떠났습니다."

프랑스 왕실이 프로테스탄트 집단을 추방하기로 결정하자 칼뱅은 프랑스 각지를 여행했으며, 그 뒤 프로테스탄트의 중심지였던 스위스 바젤에 정착했습니다. 그곳에서 신학 연구에 몰두했습니다. 그는 주로 성서에 관심을 쏟았으나, 초기 교부들의 저서와 마르틴 루터, 마르틴 부처 등 당시의 프로테스탄트 신학자들의 저서도 연구했습니다. 이 연구 끝에 칼뱅은 주요 저서 《기독교 강요》를 1536년에 출판했습니다. 이 책으로 칼뱅은 프로테스탄트의 권위 있는 대변자라는 명성을 얻었습니다. 《기독교 강요》는 포괄적이고 체계적인 책이었으며 《성경》 다음으로 가장 큰 영향을 미친 책이 되었습니다.

그는 루터의 신앙의인 사상을 받아들이면서도 율법의 행위를 통해 자신의 신앙을 증명해야 한다고 주장함으로써 루터의 사상을 개선하려고 했습니다.

웨슬리

웨슬리(John Wesley)는 1703년 6월 17일 영국의 링컨셔 엡워드에서 태어나 1791년 3월 2일 런던에서 죽었습니다. 동생 찰스와 함께 영국 국교회에서 감리교 운동을 창시한 인물로 엡워드 교구 목사였던 아버지 사무엘 웨슬리의 열다섯 번째 아이로 태어났습니다. 어머니 수잔나는 믿음이 깊은 사람으로 집안에 학교를 만들어 열아홉 명의 자녀들을 직접 가르쳤습니다. 어머니는 자녀 교육의 첫 번째 목표를 '규칙 생활'로 정해 종교 교육을 착실하게 시켰으며, 매일 저녁에 시간을 정해 놓고 개별 상담과 기도를 해주었습니다.

웨슬리가 여섯 살 되던 해에 목사관에 불이 났습니다. 모두 잠에서 깨어나 함께 밖으로 뛰어나갔지만 그는 나오지 못해 목사관 2층 창문에서 살려달라고 소리쳤습니다. 이때 한 농부가 다른 사람의 목마를 타고 올라가 그를 구해 내려오자마자 목사관 지붕이 내려앉았습니다. 이 사건으로 웨슬리는 신의 존재를 확실하게 믿게 되었다고 합니다.

그는 1720년 옥스퍼드 대학교 크라이스트 교회에 입학하여 1724년에 졸업하였고 1728년 9월 22일에 사제가 되었습니다. 그는 1729년 10월 동생 찰스와 함께 조직한 종교 연구 모임에 가담했는데, 이 모임은 질서정연한 연구와 경건생활을 강조했기 때문에 '질서주의자들(Methodists)'이라는 조롱을 받았습니다. 웨슬리는 찰스에게서 모임의 지도권을 물려받아 회원수를 늘렸습니다. 이 모임은 성찬식을 자주 가졌고 일주일에 이

틀을 금식했기 때문에 '신성 클럽(Holy Club)' 이라고도 불렀습니다. 이 모임은 교도소를 방문하고, 죄수들에게 글 읽는 법을 가르쳐주었으며, 이들의 빚을 갚아주고, 일자리를 마련해 주려고 노력했습니다. 빈민가와 가난한 사람들에게도 손길을 뻗쳐 음식 · 옷 · 의약품 · 책 등을 나누어주고 학교도 운영했습니다.

웨슬리는 식민지 사람들의 신앙생활을 지도하고 인디언들에게 복음을 전하기 위해 찰스와 함께 북아메리카(미국)로 건너갔습니다. 배를 타고 항해하는 도중 여러 차례의 풍랑이 있었는데 그때마다 웨슬리는 공포에 떨었습니다. 그러나 함께 항해하던 독일 모라비아 교인들은 두려움이 전혀 없이 태연했습니다. 그는 이들의 태도에 깊은 인상을 받았습니다.

북아메리카에서의 전도는 별 소득이 없어 다시 런던으로 돌아왔습니다. 런던에서 그는 모라비아 교인 페터 뵐러를 만나 자기에게 필요한 것은 믿음뿐이라는 확신을 얻었습니다. 또 마르틴 루터의 《갈라디아서 주석》을 읽고 거기서 오직 믿음을 통해 의롭게 된다는 사상을 발견했습니다. 그리고 1738년 5월 24일 주로 모라비아 교인들로 구성된 모임에 참석하여 루터의 《로마서 주석》 서론을 읽는 중에 믿음으로 의롭게 된다는 지적인 확신을 개인적으로 체험했습니다.

당시 35세였던 그는 이 순간부터 믿음으로 구원을 얻는다는 복음을 선포하는 것을 자신의 사명으로 여기고, 설교할 때마다 이 복음을 전했습니다. 그리하여 웨슬리는 감리교의 창시자가 되었습니다.

막스 베버 프로테스탄트 윤리와 자본주의 정신

윤원근 글 | 김혜은 그림

01 베버의 《프로테스탄트 윤리와 자본주의 정신》은 누구의 주장을 비판하고 보완하기 위해 쓴 책일까요?

① 슘페터 ② 좀바르트 ③ 마르크스
④ 애덤 스미스 ⑤ 로크

02 수단과 방법을 가리지 않고 무작정 부를 쌓으려는 태도를 무슨 자본주의라고 부를까요?

① 소비 자본주의 ② 물질 자본주의 ③ 생산 자본주의
④ 금융 자본주의 ⑤ 천민 자본주의

03 다음 중 자본주의 정신의 형성에 큰 영향을 끼친 종교 개혁자는 누구일까요?

① 칼뱅 ② 루터 ③ 애덤 스미스
④ 아퀴나스 ⑤ 베버

04 칼뱅의 종교 사상 중 자본주의 정신의 형성과 밀접한 관계가 있는 기독교 교리는 무엇일까요?

① 삼위일체설 ② 원죄설 ③ 속죄설
④ 운명예정설 ⑤ 만인구원설

05 프로테스탄트를 믿는 미국의 조상들을 어떻게 부를까요?

① 인디안 ② 정교도 ③ 가톨릭

④ 에스키모 ⑤ 위그노

06 프랭클린의 자본주의 정신에 속하지 않는 것을 고르세요.

① 시간은 돈이다.

② 신용은 돈이다.

③ 돈을 잘 갚은 사람은 만인의 돈주머니의 주인이다.

④ 네가 가진 모든 것을 네 마음대로 사용할 수 있는 소유물이라 고 생각하지 마라.

⑤ 인생의 즐거움을 위해 돈을 버는 대로 소비해라.

07 직업을 신의 부르심으로 여기는 기독교인의 태도를 무엇이라고 할까요?

08 칼뱅주의자들은 정직하고 부지런히 일하면서 검소하게 생활해 부자가 되는 것을 신의 영광을 증대시키는 것으로 보았습니다. 《성경》에는 이러한 생각을 뒷받침하는 비유가 나오는데, 이것은 무엇일까요?

---

09 칼뱅주의자들은 이 세상에서 자신들이 존재하는 목적을 무엇이라고 보았을까요?

---

10 책에 나오는 자본주의 정신의 다섯 가지 특징 중 세 가지 이상을 써 보세요.

칼뱅주의

막스 베버에 따르면 칼뱅주의는 프로테스탄트교의 대표적 형태라 할 수 있습니다. 칼뱅주의는 프랑스의 종교개혁자 칼뱅에게서 시작된 프로테스탄트 사상입니다. 칼뱅은 신의 절대적 주권을 강조하는 신관으로, 인간은 신의 뜻에 따라 구원의 운명이 이미 결정되어 있다는 예정설을 주장했습니다. 그리고 인간을 신의 영광을 위한 도구로 보는 활동주의적 경향을 가졌으며, 사회에서도 적극적인 태도로 참여할 것을 말했습니다. 칼뱅은 '신은 이미 개인의 운명을 결정하였고, 신의 은총을 받을 사람은 신의 선택에 의해 결정되어 있으므로 개인은 현실 세계에서 자신이 맡은 직분을 성실히 수행해야 한다'라고 보았습니다. 이는 구원에 대한 확신에 도달할 때까지 신에 의해 이미 결정된 자신의 소명, 즉 '직업'을 충실히 수행하면서 생활해야 한다는 의미인 것입니다. 과거에 교회가 부를 쌓는 것을 사악하다고 본 것과 달리, 각 개인이 정당하고 성실한 방법으로 부를 쌓는 것은 사악한 것이 아닌, 오히려 신의 결정에 적극적으로 다가가 구원을 바라는 행위로 여기는 것입니다. 그리하여 칼뱅주의는 도시의 시민들에게 자신들의 직업에 대한 자긍심을 제공하는 세속적이고 실천적인 생활 윤리로 자리 잡게 되었습니다. 이러한 칼뱅의 예정설과 활동주의적 경향 속에서 베버는 자본주의의 근본정신을 발견한 것입니다.

정답

01 ③ / 02 ⑤ / 03 ① / 04 ④ / 05 ② / 06 ⑤ / 07 직업소명론 / 08 달란트의 비유

09 신의 영광을 증대시키는 것

10 ① 노동하는 것을 가치 있게 여긴다. ② 정직하고 근면하게 일해 돈 버는 것을 인생 최고의 목표로 삼는다. ③ 생활 계획을 잘 세워 시간의 낭비를 줄인다. ④ 쓸데없는 휴식과 게으름을 물리친다. ⑤ 절약하고 검소하게 생활한다.